LECTURAS BÁSICAS:
A Civilization Reader

SECOND EDITION

LECTURAS BÁSICAS:
A Civilization Reader

SECOND EDITION

Joaquín Valdés
San José State University

HOLT, RINEHART and WINSTON

New York   Chicago   San Francisco   Atlanta
Dallas   Montreal   Toronto   London   Sydney

ILLUSTRATION CREDITS

Peter Menzel   1, 20, 52
Dorka Raynor   7, 33
EPA   39, 45
Charles Marden Fitch (Taurus Photos)   27
Mann (Monkmeyer Press Photo Service)   58
Alan Keler (EPA)   65
Samuel Teicher   72

Library of Congress Cataloging in Publication Data

Valdés, Joaquín.
  Lecturas básicas, a civilization reader.

  Based on Lecturas básicas, a civilization reader,
by F. J. Zierten.
  1. Spanish language—Readers—Civilization,
Hispanic. 2. Civilization, Hispanic—Addresses,
essays, lectures.
I. Zierten, Frederick J. Lecturas básicas.
II. Title.
PC4127.C5V34 1980   468.6'421   80-23278

ISBN 0-03-058201-6

CONTENTS

PREFACE

The twelve original essays that comprise the Second Edition of *Lecturas Básicas: A Civilization Reader* are designed to give students a panoramic view of the Spanish-speaking world. The text is intended to be used by those students who have completed one semester of college Spanish. Although it is part of the complete introductory program that accompanies Holt's *¿Habla Español? Second Edition, Lecturas Básicas: A Civilization Reader* may be used in conjunction with any basic grammar book.

Where possible, the historical present tense has been used in the essays to allow for easier reading by the students. All difficult grammatical structures or vocabulary items are glossed throughout. Comprehension questions and exercises for vocabulary development follow each of the twelve readings.

The book focuses on the culture and civilization of the Hispanic world. Many rich and contrasting traditions have combined in fascinating ways to give us this extraordinary culture. In the interest of giving the students an awareness of all parts of this world, the Second Edition has been reorganized to focus on each country or area individually. Each chapter, thus, discusses the historical and geographical facets of each area, as well as describing the people who inhabit the region.

To make the overview complete, the Second Edition concludes with a new chapter on Hispanics in the United States.

It is the authors' hope that the topics presented in *Lecturas Básicas: A Civilization Reader*, Second Edition will spark serious thought and good discussions among the students. The book is intended to spur the reader to explore these topics in depth and to better understand the richness and beauty of Hispanic culture.

LECTURAS BÁSICAS:
A Civilization Reader

SECOND EDITION

CAPÍTULO 1

España y su historia

La historia de España es la historia de los diversos pueblos que habitan la península Ibérica, como los *iberos* y los *celtas;* los *griegos* y los *fenicios;* los *cartagineses* y los romanos. . . Iberian, from Africa / Celts, from Wales / Greeks / Phoenicians / Carthaginians

En el *siglo* III *antes de Jesucristo*, Roma invade la península y este territorio pasa a ser parte del Imperio Romano. Empieza entonces la unificación de la población peninsular que adopta el latín como *lengua*, el cristianismo como religión y el *derecho* romano como norma que organiza y regula la sociedad. Del latín se derivan después varias lenguas en la península: el castellano o español, el *catalán*, el *gallego* y el portugués. century / B.C.
language
law
Catalonian
Galician

Cuando empieza la decadencia romana, en el siglo V de nuestra era, los pueblos bárbaros del norte y centro de Europa llegan y conquistan la península. Estos pueblos *luchan entre sí,* y los *visigodos logran* dominar gran parte del territorio peninsular. Estos son los más civilizados y adoptan el latín como lengua y el cristianismo como religión. Así se integran en la población hispano-romana, aunque influyen en la cultura de la lengua y el derecho legal. fight among themselves / Visigoths succeed in

Al principio del siglo VIII en el año 711, otro pueblo, completamente distinto de los anteriores, comienza a conquistar la península. Es el pueblo árabe que viene del norte de África. Su lengua, su religión y sus costumbres son distintas, pero no las impone ni asimila lo que encuentra.

La dominación árabe en el territorio de la península dura casi ocho siglos. Durante este tiempo *conviven* en las ciudades tres sociedades distintas: la sociedad cristiana, la judía y la árabe. *Cada* una live together, share
Each

2

de ellas vive en una sección de la ciudad, tiene su *idioma*, su religión y su organización social.—*Todavía* se puede ver esto en algunas ciudades de la España de hoy.

    Sin embargo, en medio de esta convivencia, se inicia la lucha entre los árabes y los cristianos. Esta lucha, *llamada* la Reconquista, termina en 1492, cuando los Reyes Católicos, Isabel y Fernando, conquistan el *último reino* árabe en España, el reino de Granada. El rey *Boabdil* abandona la península y sale para África. Es en este momento cuando los reyes logran la unidad política de España, y *nace* España como nación. *Sólo quedan* dos reinos independientes, Navarra, que se une pocos años después, y Portugal. Para lograr la unidad religiosa, los Reyes católicos *expulsan* a los judíos de España.

    El año 1492 es el año más importante para el mundo occidental. El doce de octubre de ese año, Cristóbal Colón, al servicio de los Reyes Católicos, descubre el Nuevo Mundo. Con este *acontecimiento*, España cierra las puertas de la Edad Media y abre para el mundo occidental la Edad Moderna. Todo un continente se descubre, y las perspectivas de España, de Europa y de la misma América cambian totalmente. A España le *toca* ser la protagonista principal de este *hecho*. Muchos lo consideran el hecho más importante de la historia de la Humanidad.

    En esta época empieza la grandeza de España. Ponce de León descubre Florida y Balboa el Océano Pacífico. También se conquistan *plazas fuertes* en el norte de África y el Gran Capitán, Gonzalo Fernandez de Córdoba conquista *Nápoles*. En el campo intelectual se funda la Universidad de Alcalá y se publican la primera gramática española, por Nebrija, y una de las *obras cumbres* de la literatura española, « La Celestina ».

    Pocos años después *sube* al trono Carlos I de España, futuro Carlos V, nieto de los Reyes Católicos y del emperador de Austria. Durante este reinado, los españoles conquistan México *bajo* el *mando* de Cortés y el Perú bajo el mando de Pizarro. El navegante Elcano acompaña a Magallanes a dar la *vuelta al mundo*, mientras el conquistador Hernando de Soto descubre el río Misisipí. En Europa, Carlos V lucha contra la Reforma que inicia Lutero; toma prisionero a Francisco I de Francia, *saquea* Roma para

Glosses (right margin):

- language / still
- However
- so-called
- last / kingdom
- last moorish king
- is born
- Only remain
- expel
- event
- (her) turn
- event, happening
- garrisons
- Naples
- works / greatest, tops
- ascends
- under / command
- around the world
- sacks

mostrar al Papa el poder que tiene, conquista *Túnez*   Tunisia
en el norte de África y el *ducado* de Milán en Italia.   dukedom
Es el monarca más poderoso de Europa. Dos años   to die / leaves /
antes de *morir deja* el trono de *Alemania* a su hermano   Germany
Fernando y el de España a su hijo Felipe. *Cansado* y   Tired
enfermo se retira al monasterio de Yuste hasta su-   sick, ill
muerte.   death

Con Felipe II España llega a la cumbre de su *poder.*   power
Al conquistar Portugal, *ya* prácticamente toda Amé-   already, now
rica está bajo el poder de España. En Europa *mantiene*   holds
muchos territorios especialmente en Francia, Italia   the Netherlands,
y *los Países Bajos.* En África gran parte del *litoral;* en   Belgium and
Asia, las colonias portuguesas; en Oceanía gran nú-   Luxemburg /
mero de islas. *Se dice que* en el Imperio Español *nunca*   coastal
se pone el *sol.* Para asegurar el triunfo de la cristian-   It is said / never
dad *vence* a los turcos en la batalla de Lepanto, donde   sets / sun
Cervantes *pierde* un *brazo.* Para conmemorar su   conquers
triunfo *contra* los franceses en la batalla de San   loses / arm
Quintín, Felipe II construye el Monasterio El Esco-   against
rial, cerca de Madrid. Diez años antes de su muerte
manda contra Inglaterra la « Armada Invencible » y
los ingleses lo *derrotan.* Así es como empieza la de-   defeat
cadencia del Imperio Español. Dos años antes de terminar el siglo muere Felipe II.

El siglo siguiente se caracteriza por la precipita-
ción de la decadencia. España pierde terreno en Europa ante el *empuje* de Francia e Inglaterra. Holanda   push
y Portugal logran su independencia de España. Los
piratas ingleses y holandeses atacan las colonias españolas en América.

Sin embargo, durante estos dos siglos, las artes
españolas llegan al máximo esplendor. Aparece
« Don Quijote » de Cervantes y Tirso de Molina escribe « Don Juan ». Góngora, Quevedo, Lope de
Vega y otros forman también la Edad de Oro de la
literatura española. En la pintura se destacan el Greco
y Velázquez.

En el siglo XVIII la decadencia llega al propio territorio de España al ocupar Inglaterra la isla de Me-
norca y el *penón de Gibraltar* que todavía es una pose-   Rock of Gibraltar
sión inglesa. En la pintura aparece otro genio,
Francisco de Goya.

El siglo XIX se caracteriza por el *derrumbe* total de   collapse
lo que España descubre y conquista en los siglos anteriores. Inglaterra derrota a España en la batalla de
Trafalgar y tres años después, las tropas de Napoleón
invaden la península. La lucha del pueblo contra los

franceses es *fiera* y Goya la inmortaliza en algunas de sus pinturas. Las colonias aprovechan esta situación para sublevarse y así una *tras* otra logran su independencia las *actuales* repúblicas hispano-americanas. Está ya terminando el siglo cuando Estados Unidos entra en guerra contra España y ésta tiene que *ceder* los últimos *residuos* del imperio. Cuba, Filipinas, Puerto Rico y Guam pasan *a manos de* Estados Unidos. En España siguen las guerras civiles, los *levantamientos* militares y los *cambios* de constituciones.

wild

after
present-day

to give / remains
into the hands of

insurrections /
changes

El siglo XX empieza con la misma inestabilidad política y con una guerra en *Marruecos*. En 1931 se establece la República y a los cinco años, tras una cruel guerra civil, empieza una dictadura no menos cruel que dura casi cuarenta años. A la muerte del dictador Francisco Franco en 1975, vuelve a establecerse la monarquía con Juan Carlos I, nieto del rey destronado en 1931. Hoy día el pueblo español trata de lograr un gobierno tipo democrático.

Morocco

Ejercicios

A. Complete the sentences with the appropriate word from the list at the right.

1. Roma invade la _____ en el siglo III a. de C.
2. La población peninsular adopta _____ como lengua oficial.
3. En el siglo V empieza la _____ romana.
4. Los visigodos logran dominar el _____ peninsular.
5. En el siglo VIII, _____ invaden la península.
6. La dominación árabe dura _____ ocho siglos.
7. La lucha contra los árabes se llama la _____.
8. Hernán Cortés _____ México.
9. Los _____ derrotan a la Armada Invencible.
10. En el imperio español _____ se pone el sol.

decadencia
los árabes
Reconquista
península
territorio
el latín
ingleses
nunca
casi
conquista

B. Write the infinitive of the verb which corresponds to each word.

1. unidad
2. lucha
3. dominio
4. civilización
5. nacimiento

C. Choose the word from Column B closest in meaning to each word in column A.

A	B
_____ 1. empezar	a. unión
_____ 2. unificación	b. idioma
_____ 3. derecho	c. someter
_____ 4. lengua	d. obtener
_____ 5. dominar	e. acabar
_____ 6. vencer	f. comenzar
_____ 7. lograr	g. ley
_____ 8. terminar	h. derrotar

D. Choose the word from column B opposite in meaning to each word in column A.

A	B
_____ 1. parte	a. nunca
_____ 2. siempre	b. igual
_____ 3. llegar	c. terminar
_____ 4. distinto	d. independiente
_____ 5. vivir	e. todo
_____ 6. iniciar	f. salir
_____ 7. unir	g. morir
_____ 8. dependiente	h. dividir

E. Answer the following questions in Spanish:

1. ¿Cuándo invade Roma la península?
2. ¿Qué lenguas se derivan del latín?
3. ¿Quiénes invaden la península después de los romanos?
4. ¿Qué pueblo conquista la península en el siglo VIII?
5. ¿Cuántos siglos dura la dominación árabe en España?
6. ¿Cuándo termina la Reconquista?
7. ¿Quién descubre Florida?
8. ¿Dónde construye Felipe II El Escorial?
9. ¿Quién inmortaliza en sus cuadros al pueblo español?
10. ¿Quiénes forman la Edad de Oro de la literatura española?
11. ¿Qué acontecimientos se destacan en España en el siglo XX?

CAPÍTULO 2

La gente de España

España forma parte de Europa geográficamente y por muchos años llega a dominar ciertas regiones europeas como los Países Bajos, el *Franco Condado,* el *Milanesado,* el *Rosellón,* Nápoles, *Cerdeña* y Sicilia. Culturalmente es un país latino por su lengua, su religión y sus leyes.

Sin embargo, mucha gente dice que África empieza en los Pirineos. Aunque no es verdad, el español tiene *muy poco que ver* con lo que normalmente se considera como un típico europeo. Se puede decir que España es una nota discordante en el *coro de* Europa.

No se pueden *olvidar* las diferentes influencias que recibe la población de España a *través de* su historia. Son las de pueblos tan diferentes como los del norte y centro de Europa, del mediterráneo y del norte de África.

En cierto modo, estas influencias logran mezclarse, más o menos, y caracterizar a un tipo. A su vez, el predominio de una u otra influencia, *da lugar* a una variedad de tipos dentro de esa unidad. Las diferencias que hay entre un español del norte, del centro, del *Levante* o del sur, son grandes, y en muchos casos mayores que las semejanzas que se encuentran entre ellos.

Se pueden ver estas diferencias cuando visitamos las diferentes regiones españolas. En Galicia, región del noroeste de España, tienen su propia lengua, el gallego, que es mucho más *parecido* al portugués que al castellano y que un español de otra región normalmente no entiende. Étnicamente conservan una mayor influencia céltica. Sus costumbres son pecu-

Old province of France
Old dukedom of Milán, Italy
Province of France, cap. Perpignan
Italian island in the Mediterranean

little to do

choir

to forget
through

give cause for

northeastern Mediterranean shores of Spain

like, similar

8

liares. Su música, sus bailes, las « muñeiras », y sus canciones no tienen nada que ver con las mismas manifestaciones de otras regiones e incluso el instrumento musical típico, la *gaita* gallega, es casi exclusivo de esta región. Sus *apellidos* son propios de la región también. La gran densidad de población es la causa principal del *alto* índice de emigración y podemos encontrar clubes gallegos en todas las ciudades importantes de las repúblicas hispanoamericanas, donde es reconocido su gran espíritu de *laboriosidad*.

bagpipes
surnames

high

industriousness

Asturias, que *linda* con Galicia, aunque es muy parecida físicamente tiene también características propias. Tiene también sus apellidos típicos y su música y sus canciones, suaves y llenas de melancolía, se reconocen y se cantan en toda España. Lo mismo que se dice de los gallegos se puede decir de los asturianos. No hay ciudad importante en hispanoamérica sin un centro asturiano. En esta región abundan los tipos altos y *rubios* que mantienen la herencia visigoda más pura.

border(s) on

blonde

Por el litoral del Cantábrico se llega a la región *vasca*, formada por tres provincias. Esta región es la que posee las notas más diferenciadas del resto de España. Étnicamente se desconoce el origen de este pueblo y de su idioma. Los vascos habitan en las provincias de Vizcaya, Guipuzcoa, Alava y parte de Navarra, y la región *limítrofe* de Francia. Un buen número de vascos quieren la independencia de España, aunque otros se conforman con cierta autonomía. En su folklore y costumbres son completamente distintos del resto de los españoles y por sus apellidos pueden también reconocerse fácilmente.

Basque

bordering

recognize

Al sur de los Pirineos orientales se encuentra Cataluña, región que tiene su idioma propio, el catalán, que aunque es latino, es tan diferente del castellano como el italiano. Cataluña es la región más rica e industrial de España. Su influencia y la de su lengua *abarca* toda la región de Valencia y las Islas Baleares, donde se hablan los dialectos valenciano y mallorquín, procedentes del catalán. Esta región se caracteriza por un gran sentido de trabajo y mantiene una gran corriente de emigración principalmente de las regiones del sur. *También* hay un importante movimiento de independencia. Aunque tradicionalmente forma parte del reino de Aragón, tiene muy

comprise

Also

poco en común con esta región. Barcelona, la capital,
es la segunda ciudad de España y el puerto más importante del Mediterráneo. Las canciones y bailes de
esta región pueden distinguirse fácilmente de las del
resto de España. Es la región que tiene su idioma
propio más extendido; se publican periódicos, *revis-*   magazines
tas y libros en catalán y se representan también obras
teatrales diariamente en este idioma *desde* poco des-   from
pués de la muerte de Franco, cuando se empieza a
reconocer el catalán como idioma oficial y se permite
su expresión oral y escrita con entera libertad.

En la región valenciana, aunque tiene una gran
influencia catalana, puede notarse a la vez la influencia árabe, tanto en los nombres de algunos de sus
pueblos y ciudades como en muchos de sus habitantes y de sus costumbres. La región de Valencia es
una de las mayores zonas productoras de cítricos del
mundo—de ella vienen las naranjas a California—.
Por su situación geográfica *goza* de un clima extraor-   enjoy
dinario y es una de las zonas más admiradas por los
turistas del norte y centro de Europa que, por millones, visitan sus playas. Es curioso ver en el verano
estos pueblos blancos del litoral valenciano, llenos
de turistas nórdicos que se confunden con las mujeres del pueblo que todavía siguen en muchos casos
vestidas de negro, y con un *pañuelo*, negro también,   scarf
en la cabeza.

En el sur, frente a la costa de Marruecos y desde
la frontera con Portugal en el Atlántico hasta la región
levantina está la famosa, bella y exótica Andalucía.
Es la mayor región española y la forman ocho provincias. La capital, Sevilla, es una de las ciudades
más bonitas y alegres de la nación y en ella está el
famoso *Archivo* de Indias, donde se guardan todos   Files
los documentos sobre la conquista del Nuevo Mundo.
La región andaluza es famosa en todo el mundo por
sus vinos de Jerez (sherry), de Montilla y de Moriles;
por el « cante y baile » flamencos; por sus toreros;
y por sus ciudades famosas como Córdoba y Granada, Sevilla y Torremolinos. El pueblo andaluz se
caracteriza por su alegría, que se manifiesta en muchas de sus actividades así como en la blanca arquitectura de sus edificios y en el colorido de sus fiestas
y ferias populares. El *sabor* árabe todavía se observa   flavor
en muchas de sus ciudades y *aldeas*. Está presente   villages
en sus monumentos como La Alhambra de Granada,

palacio del último rey árabe y auténtica joya arqui-
tectónica. En él, el novelista norteamericano Washington Irving escribió « *Cuentos* de La Alhambra ». Tales
Años después visitan España otros dos grandes
novelistas norteamericanos que escriben sobre el
pueblo español: Hemingway, aficionado a los toros,
y Michener que casi corre delante de ellos en Pam-
plona.

Las regiones restantes que abarcan todo el centro
de España, Castilla, León, Aragón, Murcia y Extremadura, aunque tienen caracteres propios se puede
decir que son más *afines*, sin importantes diferencias related
lingüísticas ni de costumbres. Su geografía tiene un
carácter predominante de *aridez*. En su folklore dryness
puede distinguirse el *brío* de la *jota* de Aragón. Se spirit / folk dance
encuentran testimonios del pasado en muchas de sus and music
ciudades: Las *murallas* de Segovia y Ávila; el sabor walls
árabe de la vieja capital de España, Toledo; las famosas catedrales de Burgos y León; las ruinas romanas de Mérida en Extremadura; el palacio de la
Alfajería y las ruinas romanas de la antigua Cesaraugusta, que hoy se llama Zaragoza, capital del antiguo
reino de Aragón. El castellano se caracteriza por su
sobriedad, *orgullo* y *lealtad* a las viejas tradiciones. pride / loyalty

Sólo *falta* mencionar a las bellas Islas Canarias. needs
Por su *alejamiento* de la península, es la *Cenicienta* distance / Cinderella
de España. Esta región *se compone* de dos provincias. is composed of
Sus aborígenes, « los guanches », prácticamente es-
tán extinguidos y la mayoría de su población es de
origen peninsular.

Ejercicios

A. Complete the sentences with the appropriate word from the list at the right.

1. Hay grandes _____ entre las regiones españolas.
2. El gallego es el _____ que se habla en Galicia.
3. El país vasco está en el _____ de España.
4. Cataluña es la región más _____ de España.
5. Valencia tiene un _____ extraordinario.
6. Andalucía es una _____ que está en el sur de España.
7. El vino de _____ es famoso en todo el mundo.
8. La Alhambra de Granada es el _____ del último rey árabe.
9. Zaragoza es una antigua _____ romana.
10. Los guanches son los _____ originales de las Islas Canarias.

idioma
clima
diferencias
habitantes
palacio
industrial
ciudad
jerez
norte
región

B. Write the infinitive of the verb which corresponds to each word.

1. influencia
2. olvido
3. predominio
4. diferencia
5. parecido

C. Choose the word from column B closest in meaning to each word in column A.

A	B
_____ 1. entregar	a. región
_____ 2. lugar	b. similitud
_____ 3. modo	c. comprender
_____ 4. semejanza	d. limpia
_____ 5. encontrar	e. dar
_____ 6. entender	f. manera
_____ 7. conservar	g. hallar
_____ 8. pura	h. mantener

D. Choose the word from column B opposite in meaning to each word
in column A.

A	B
＿＿＿ 1. mucho	a. entregar
＿＿＿ 2. recibir	b. recordar
＿＿＿ 3. norte	c. diferente
＿＿＿ 4. olvidar	d. pasado
＿＿＿ 5. concordante	e. poco
＿＿＿ 6. igual	f. sur
＿＿＿ 7. unidad	g. discordante
＿＿＿ 8. presente	h. variedad

E. Answer the following questions in Spanish.

1. ¿Qué influencias recibe la población de España?
2. ¿Dónde está la región de Galicia?
3. ¿Cuál es el instrumento musical típico de Galicia?
4. ¿Cuántas provincias forman la región vasca?
5. ¿Qué lengua se habla en Cataluña?
6. ¿Cuál es el principal producto de la región de Valencia?
7. ¿Dónde está Andalucía?
8. ¿Qué vino famoso en el mundo es de Andalucía?
9. ¿Qué escribe Washington Irving en España?
10. ¿Cómo se llama actualmente la antigua Cesaraugusta?
11. ¿Cómo se caracteriza el típico « castellano »?
12. ¿Quién es la Cenicienta de España?

CAPÍTULO 3

Conquista de México

Es una ilusión pretender explicar en tan *breve* espacio una *epopeya* tan grande como la conquista de México por Hernán Cortés. Sin embargo, podemos formarnos una idea de ella. — brief, epic

En 1517, el gobernador de la Isla de Cuba don Diego Velázquez manda la primera expedición a México al mando de Francisco Hernandez de Córdoba. En esta expedición va un soldado que se llama Bernal Díaz del Castillo. Después de explorar la costa de Yucatán vuelve a Cuba. Al año siguiente, al mando de Juan de Grijalba, marcha otra expedición en la que va el mismo soldado. Esta segunda expedición vuelve también a Cuba pocos meses después con noticias sobre la existencia de un gran imperio.

En 1519, el gobernador de Cuba organiza una tercera expedición y le da el mando de ella a Hernán Cortés, que está en Cuba *lleno de sueños* de conquista. Cuando está listo para iniciar la marcha hacia México, el gobernador intenta *quitarle* el mando, pero Cortés decide llevar adelante la expedición. — full of / dreams, to remove

La expedición *consta de* poco más de seiscientos hombres y dieciséis caballos. Todos ellos van en once pequeños navíos. Entre los expedicionarios está Bernal Díaz del Castillo que llega a México por tercera vez. Después, *al cabo de* muchos años, cuando vive en Guatemala decide escribir los recuerdos de las « guerras mexicanas ». Su obra « *Historia verdadera de la conquista de la Nueva España* » es la mejor narración sobre la conquista de México. — consist of, at the end of

Desde el momento de llegar a Cozumel, en la península de Yucatán, Cortés intenta entrar en contacto con los naturales y para hacer ello manda en busca de dos españoles que están desde varios años como esclavos de los indios. Jerónimo de Aguilar, se reúne con Cortés después de estar ocho años en poder de los indios. Su compañero no quiere volver por estar *casado* y con hijos. Aguilar le sirve de « *lengua* » a Cortés. Los primeros indios que se le someten le llevan presentes y entre ellos varias mujeres. Cortés las *entrega* a sus capitanes y reserva para él a doña Marina que « era de buen parescer y *entremetida* y *desenvuelta* », quien le acompaña en toda la conquista de México y con la que tiene un hijo.

married / interpreter

give

meddling / free and easy, bold

Cortés es además de buen capitán, diplomático y político y estas *dotes* le sirven desde el principio para lograr su *meta*, la conquista del imperio de Moctezuma.

qualities

goal

Moctezuma, que ya tiene conocimiento de las expediciones anteriores, manda emisarios a Cortés para saber quiénes son y qué desean. También les ofrece ayuda. Cortés hace incursiones por el interior, donde encuentra oposición y lucha. Decide entonces fundar la Villa Rica de la Vera Cruz. Poco tiempo después, ante el *temor* de deserción de algunos de sus soldados que quieren volver a Cuba, toma una decisión drástica y hunde las naves. Así todos tienen que aceptar la realidad de permanecer en México y *secundarle* en sus planes. Desde entonces existe la expresión en español « *quemar las naves* », para manifestar la *rotunda* decisión de seguir *adelante* en un *empeño*.

fear

to back him up
to burn one's ships
firm / ahead
determination

Moctezuma manda más emisarios a Cortés para tratar de *disuadirle* de su marcha hacia el interior, pero éste sigue adelante.

dissuade

La primera gran lucha que mantiene es contra los *tlaxcaltecas*, pero al fin los vence. Estos le hablan del temor que tienen a los aztecas, y pasan a ser sus amigos. Con estos aliados que se le unen en gran número, Cortés, más confiado, sigue su marcha hacia Tenochtitlán, la capital de los aztecas. Mientras sigue su camino, llegan embajadas de Moctezuma con regalos para Cortés, con la idea de hacerle cambiar de opinión. Cortés no cede.

natives of Tlaxcala

El día ocho de noviembre de 1519 Cortés entra en la Ciudad de Tenochtitlán, capital de los aztecas y lugar actual de la ciudad de México. Los españoles se maravillan al ver esta ciudad que está construida sobre un lago, el lago de Tezcoco o Texcoco. Tiene muchos jardines, *huertos* y canales, casas para el rey, templos, y lo que más le *asombra* a Cortés, el mercado. Cuando escribe al emperador, le cuenta de todos los productos que los indios venden en ese gran mercado que es « tan grande como dos veces la plaza de la ciudad de Salamanca », y donde « hay cada día *alrededor de* sesenta mil *ánimas* » (personas).

vegetable gardens

amaze(s)

around / souls

Moctezuma recibe a Cortés y los españoles se instalan en la ciudad. Cortés sabe que el Gobernador de Cuba manda un *ejército* contra él al mando de Pánfilo de Narváez. Después de capturar como *rehén* a Moctezuma, lucha contra Narváez y lo vence. Cuando vuelve a Tenochtitlán encuentra a los indios sublevados. Muere Moctezuma y toma el poder un sobrino suyo, que es el último rey azteca, Cuauhtémoc. Este es un jóven valiente que enfrenta a Cortés con toda su fuerza. Ante el poder y la *fiereza* de los aztecas, Cortés tiene que *dejar* Tenochtitlán, perdiendo en su *huída* a muchos de sus soldados y estando en grave *peligro* él mismo de perder la vida. Este episodio se llama en la historia « la Noche Triste », porque los españoles, después del triunfo, tienen que abandonar lo que ya estaban cerca de *conseguir*, aprovechando la oscuridad de la noche.

army

hostage

ferocity

leave

escape, fleeing

danger

to obtain

Después de organizar otra vez su ejército y con la ayuda de los tlaxcaltecas y de otros españoles vuelve a Tenochtitlán. La lucha es terrible y los españoles tienen que oír incesantemente los *gritos* de *dolor* de sus compañeros que son tomados prisioneros y torturados por los aztecas. Saben que si no ganan la batalla, esa es la *suerte* que les espera a todos ellos.

shouts, screams / pain

fate

Al cabo de tres meses, es tan feroz la lucha y tan grande la *mortandad* que Cuauhtémoc decide abandonar la ciudad. Los españoles lo toman prisionero y lo torturan para saber donde están los tesoros del rey azteca. México queda definitivamente en manos españolas. Es el trece de agosto de 1521. La ciudad está totalmente destruída y, como dice Bernal Díaz del Castillo « todo estaba lleno de *cuerpos* muertos, y *hedía* tanto que no había hombre que *lo pudiese sufrir*. »

massacre, butchery

bodies

stink (stank)

could bear it

Ejercicios

A. Complete the sentences with the appropriate word from the list at the right.

1. Bernal Díaz del Castillo es un _____ de Hernán Cortés.
2. Su obra es la mejor _____ de la conquista de México.
3. El gobernador de Cuba quiere quitar el _____ a Cortés.
4. Moctezuma manda más _____.
5. Tenochtitlán está construida sobre el _____ Texcoco.
6. Los tlaxcaltecas son los mejores _____ de Cortés.
7. Moctezuma envía varias _____ a Cortés.
8. A la muerte de Moctezuma toma el _____ un sobrino suyo.
9. Cortés huye de Tenochtitlán aprovechando la _____ de la noche.
10. Los españoles toman _____ a Cuauhtemoc.

emisarios
aliados
prisionero
soldado
oscuridad
historia
embajadas
lago
poder
mando

B. Write the infinitive of the verb which corresponds to each word.

1. pretensión
2. conquista
3. mando
4. existencia
5. intención

C. Choose the word from column B closest in meaning to each word in column A.

A	B
_____ 1. cercar	a. investigar
_____ 2. explorar	b. ir
_____ 3. tortura	c. regalos
_____ 4. marchar	d. tratar
_____ 5. destruir	e. rodear
_____ 6. presentes	f. sacrificio
_____ 7. donar	g. derribar
_____ 8. intentar	h. regalar

D.   Choose the word from column B opposite in meaning to each word
     in column A.

A	**B**
_____ 1. ilusión	a. perder
_____ 2. ganar	b. venir
_____ 3. llevar	c. falsedad
_____ 4. ir	d. enemigo
_____ 5. organizar	e. desilusión
_____ 6. verdad	f. traer
_____ 7. solo	g. desorganizar
_____ 8. amigo	h. acompañado

E.   Answer the following questions in Spanish.

1. ¿De dónde sale Cortés para la conquista de México?
2. ¿Cómo se llama la obra de Bernal Díaz del Castillo?
3. ¿Quiénes son los primeros amigos que encuentra Cortés en
   México?
4. ¿Qué decide Cortés ante el temor de deserción de algunos de los
   suyos?
5. ¿Dónde está construida la ciudad de México?
6. ¿Qué le cuenta Cortés al emperador cuando le escribe sobre
   México?
7. ¿Quién sucede en el poder a Moctezuma?
8. ¿Cómo es el último rey azteca?
9. ¿A qué episodio se llama la Noche Triste?
10. ¿Qué hacen los españoles con Cuauhtémoc?
11. ¿Cuándo queda México en manos españolas?
12. ¿Cómo está la ciudad entonces?

CAPÍTULO 4

México y los mexicanos

México, nuestro vecino del sur, es un país de unos dos millones de kilómetros cuadrados y casi 70 millones de habitantes. Tanto por su geografía como por su población, México es un país de grandes contrastes que despiertan en el viajero que lo visita un gran interés.

Un viaje rápido alrededor de la república mexicana, visitando sus lugares principales, nos dará una idea quizás más clara de estos contrastes. Si entramos en el país por su *frontera* con California, por la [border] ciudad de Tijuana, y avanzamos por la carretera *costera* [coastal] hacia el sur nos encontramos con una península alargada, semidesierta, con playas magníficas y *desoladas*, casi sin población. Aproximadamente a mi- [empty] tad del camino está una de las mayores *salinas* del [salt-mines, salt-beds] mundo, Guerrero Negro. En el sur de la península, hallamos magníficos hoteles en Cabo San Lucas, y en el lado este, La Paz, capital de Baja California Sur, donde la población se dedica a la *pesca* y al comercio. [fishing] En la zona del Pacífico, podemos ver la extraordinaria Bahía Magdalena y observar a pocos metros de nosotros cómo pasan las enormes *ballenas* que emigran [whales] allí en el otoño para tener sus *crías* al *abrigo* de la [babies / protection] bahía. La soledad la rompen solamente pequeñas comunidades de pescadores que trabajan en cooperativas y que viven de la exportación a Estados Unidos de *camarones*, *langostas* y *abalones*. [shrimps / lobsters / abalones]

Cruzando el Golfo de Cortés o de California, llegamos a Sonora, el estado que limita al norte con Arizona, que tiene una gran riqueza agrícola con unas grandes zonas de tierra de *regadío*. En este [irrigated land] estado y en el vecino de Sinaloa además de cereales

21

y *algodón*, se producen enormes cantidades de **cotton**
legumbres y *hortalizas*, dedicadas en gran parte a la **legumes / vegetables**
exportación durante los meses de invierno. La po-
blación, aunque es en gran parte mestiza, tiene muchos descendientes de europeos, y no es extraño encontrar « *güeros* ». También encontramos algunas **blonds**
comunidades indígenas, como los indios mayos, que
están prácticamente absorbidos, desde los tiempos
de la revolución. En Mazatlán, la primera ciudad
turística que encontramos en la costa, tenemos hoteles muy buenos y por sus calles, podemos observar
a los indios coras, que bajan de la sierra vecina del
Estado de Nayarit a vender sus productos típicos.

Más al sur cruzando el verde Estado de Nayarit,
entramos al Estado de Jalisco, quizás el más típico,
o por lo menos el más conocido. Es la región de los
charros, de los *mariachis*, de los *corridos* y del te- **Mexican cowboy /**
quila. Gente brava, noble y *campechana*, con gran **Mexican band and**
singers / street
sentido del honor y del orgullo, que sale a la luz en **ballads**
los famosos corridos. La capital, Guadalajara, es una **good-natured, cheerful**
de las ciudades más bonitas de México y la segunda
en población. En ella podemos encontrar muchos
« *gachupines* » y también « *gringos* » y otros euro- **Spanish settlers in**
peos, pero la población es esencialmente mestiza de **México /**
anglosaxons
mexicano y español, como lo es el 60% de la de la
república. Guadalajara, que toma el nombre de la
misma ciudad española, es una ciudad alegre, que
conserva edificios muy bellos de la época colonial,
pero que tiene además todo el sabor de una ciudad
moderna.

Al salir de Jalisco entramos en Michoacán, donde
podemos encontrar muchos pueblecitos indígenas
sin mestizaje alguno. Esta región se caracteriza por
su religiosidad y tradición. Morelia es la capital del
estado y tiene mucho sabor colonial, con edificios
antiguos construidos con *piedra labrada* y con *calles* **stone carving /**
empedradas. Uno de los lugares más pintorescos de **streets paved with**
stones
este estado es el famoso lago de Patzcuaro.

Poco más allá, está el estado de Guanajuato, con
su capital del mismo nombre, una ciudad muy interesante. En tiempos pasados era un centro minero
muy importante; algunas de sus calles, medio sub-
terráneas pasan por debajo de las casas de la ciudad.
En el centro es fácil ver a los indios que van allí a
vender flores, frutas y hortalizas, o artículos de *lana*, **wool**

como *mantas* « *cobijas* », que ellos mismos *tiñen* con vistosos colores. A poca distancia está el *Cerro* del Cubilete, centro religioso de la región adonde van muchas peregrinaciones.

    Siguiendo al sur llegamos a la ciudad de Toluca, capital del estado de México. Cerca de ella encontramos el Nevado de Toluca, un volcán de gran altura que tiene nieves perpetuas. También aquí hay muchas comunidades indígenas, y un famoso mercado.

    El Distrito Federal, como se llama la capital de México, es una de las ciudades mayores del mundo. Está situada en un valle presidido por dos grandes volcanes de nieves perpetuas, el Ixtla y el Popo. En la ciudad podemos ver restos de la antigua Tenochtitlán, capital de los aztecas, con los últimos descubrimientos que se están realizando ahora del Templo Mayor, cerca del Palacio Presidencial y la Catedral, en el « *zócalo* ». También podemos visitar muchos lugares de la época colonial con magníficas mansiones en la zona de San Ángel, entre otras, donde se encuentra el Palacio de Cortés. En el Parque de Chapultepec encontramos el castillo del mismo nombre y el famoso Museo de Antropología. La ciudad tiene magníficas avenidas, como el Paseo de la Reforma, con edificios modernos y jardines y con monumentos como los dedicados al Ángel de la Independencia y a Cristóbal Colón. La Avenida Insurgentes *atraviesa* toda la ciudad y en su *cruce* con la Reforma se levanta el monumento al último emperador azteca, Cuauhtémoc. En esta área se encuentran algunos de los mejores y más modernos hoteles, en la llamada Zona Rosa, donde siempre se ven gran cantidad de turistas. En esta Avenida de Insurgentes, al sur, admiramos la Ciudad Universitaria, que fue escenario de los Juegos Olímpicos. En algunos de sus edificios, así como en otros de la capital pueden contemplarse extraordinarios murales de los grandes pintores mexicanos de este siglo, Rivera, Orozco y Siqueiros.

    Al sur de la capital encontramos la ciudad de Cuernavaca, donde se halla el magnífico Palacio de Cortés, ahora Museo, y en el camino a Acapulco, se encuentra el típico y pintoresco pueblo de Taxco, antigua mina de *plata*.

    Vale la pena visitar la ciudad de Puebla que parece

---

blanket, bedclothes /
  dye, stain
Hill

main public square

goes across /
  crossroad,
  intersection

silver

una vieja ciudad española y a la que se llega desde
el Distrito Federal a través del camino que siguió
Cortés en su marcha hacia México, pasando entre los
dos formidables volcanes. De aquí, a la vista de otro
colosal volcán, el Orizaba, entramos en Veracruz.
Este estado es uno de los más ricos, tanto en agricultura como en *ganadería* y posee además una in-   cattle, livestock
calculable riqueza petrolera. La ciudad, en la costa
del golfo de México, parece que siempre está de fiestas, así es el temperamento de la gente. Música por
todas partes y un clima excepcional durante el invierno. Es el puerto principal de México y cuando se
llega por barco, la cumbre nevada del Orizaba
emerge del mar por el horizonte mucho antes de
verse la costa del estado, como una visión maravi-
llosa.

    A partir de Veracruz, nos aproximamos a una de   Beginning with
las zonas que guardan los más ricos tesoros de la
civilización Maya. Las ruinas de esta civilización
pueden encontrarse entre los estados de Chiapas,
Tabasco y Yucatán. Entre ellas se destacan las de Pa-
lenque, que *brotan* en medio de la *selva* tropical que   sprout / woods, jungle
parece fiel guardiana de aquellos tiempos, y las de
Uxmal y Chichen Itza en la *llanura* de Yucatán. En   plain
las abundantes zonas de selva de estos estados que
limitan con Guatemala hay una considerable población de indios que conservan su lengua y costumbres
e incluso no hablan español. En sus prácticas religiosas, como ocurre con la mayor parte de las tribus
indias de toda la república y de Centroamérica, se
mezclan las *creencias* religiosas de sus *antepasados*   beliefs / ancestors
con las que los misioneros españoles *les enseñaron*   taught them
del catolicismo. Esta área del sur del país es la más   forgotten
olvidada por el gobierno, a pesar de ser muy rica por
su naturaleza y por sus monumentos *testigos* de la   witnesses
mayor civilización que se conoce en el norte del continente americano.

    En el norte del país, ya de vuelta, encontramos
otra manifestación viva de la población anterior a la
llegada de los españoles a América. En la sierra de
Chihuahua, cerca de la frontera con Estados Unidos,
están los « taraumaras », que viven todavía en condiciones muy semejantes a las de hace cuatro o cinco
siglos.

    Vale la pena visitar México para ver y entender a
su pueblo.

Ejercicios

A. Complete the sentences with the appropriate word from the list at the right.

1. México es un _____ de grandes contrastes.
2. Guerrero Negro es una de las _____ salinas del mundo.
3. Sinaloa exporta muchas _____ a Estados Unidos.
4. Mazatlán está en la _____ del noroeste de México.
5. Jalisco es el estado mexicano más _____.
6. Guanajuato es un centro _____ muy importante de México.
7. En el _____ de la capital está el Palacio Presidencial.
8. El Paseo de la Reforma tiene _____ modernos.
9. En el camino a Acapulco está el _____ pueblo de Taxco.
10. Los taraumaras viven en la _____ de Chihuahua.

minero
edificios
sierra
antiguo
zócalo
pintoresco
país
costa
mayores
legumbres

B. Write the infinitive of the verb which corresponds to each word.

1. viaje
2. población
3. contraste
4. observación
5. pesca

C. Choose the word from column B closest in meaning to each word in column A.

A	B
_____ 1. cercano	a. sitio
_____ 2. ver	b. desolada
_____ 3. lugar	c. protección
_____ 4. clara	d. vecino
_____ 5. solitaria	e. visitar
_____ 6. mirar	f. limpia
_____ 7. abrigo	g. observar
_____ 8. bajar	h. descender

D.   Choose the word from column B opposite in meaning to each word
in column A.

	A		B
_____	1. cerca	a.	despertar
_____	2. dormir	b.	importación
_____	3. estrecho	c.	anormal
_____	4. exportación	d.	pasajero
_____	5. extraño	e.	lejos
_____	6. normal	f.	ancho
_____	7. riqueza	g.	común
_____	8. permanente	h.	pobreza

E.   Answer the following questions in Spanish.

1. ¿Cómo es la península de Baja California?
2. ¿Qué podemos observar en la Bahía Magdalena?
3. ¿Cómo llaman en México a los rubios?
4. ¿Cómo se llama el estado de los charros y mariachis?
5. ¿Por qué se caracteriza la ciudad de Guanajuato?
6. ¿A qué llaman los mexicanos el « zócalo »?
7. ¿Qué encontramos en el parque de Chapultepec?
8. ¿Dónde se levanta el monumento a Cuauhtémoc?
9. ¿Cuáles son los grandes pintores mexicanos de este siglo?
10. ¿Por qué vale la pena visitar la ciudad de Puebla?
11. ¿Dónde están las ruinas mayas de Uxmal y Chichen Itza?
12. ¿Cómo se llaman los indios de la sierra de Chihuahua?

CAPÍTULO 5

Centroamérica

Se llama así a la región que une a las dos Américas, la del norte y la del sur. La costa atlántica de esta región es descubierta por Colón en su cuarto viaje, en 1502, al explorar las costas de Honduras, Nicaragua, Costa Rica y Panamá. La conquista de estos territorios *la llevan a cabo*, años más tarde, los capitanes que Hernán Cortés manda después de terminar con la conquista de México.

to accomplish, carry out

Una vez organizada la colonia en esta región, pasan a depender estos territorios de la Capitanía General de Guatemala, que a su vez depende del Virreinato de la Nueva España, o sea México en la época colonial.

LOS MAYAS. Es fácil suponer la sproresa de aquellos primeros españoles cuando, en su camino desde México hacia el sur, se encuentran con esas ruinas formidables de una civilización *desaparecida* y de la que no saben nada. En medio de la selva y en terrenos semidesérticos ellos ven como se alzan los grandes vestigios de las culturas pasadas. Es algo superior a lo que *han visto* en México.

out of sight, lost

they have seen

La civilización maya es, sin duda alguna, la que más alto *nivel alcanza* entre todas las civilizaciones que se desarrollan en América antes de la llegada de los españoles. Según los historiadores y los arqueólogos, el desarrollo de la civilización maya empieza varios siglos antes del nacimiento de Jesucristo, aunque se desconoce la *fecha* exacta. *No obstante*, la fecha en que desaparece esta civilización ocurre durante el siglo X de nuestra era. Esto hace suponer que tiene una vida de unos quince siglos. Aunque

level / reach

date / However

hay varias teorías, no se conocen las causas de su desaparición, pero *lo cierto es* que cuando llegan los españoles, las antiguas ciudades mayas están desiertas.

the truth is

El territorio donde se desarrolla esta civilización abarca varios estados del sur de México, principalmente Yucatán, Guatemala y Honduras, y pueden verse restos de ella también en ciertas regiones de El Salvador. Los primeros templos que construyen son piramidales y en la misma época desarrollan también la escritura jeroglífica. Esta época, que los arqueólogos llaman preclásica, dura *hasta fines* del siglo tercero de nuestra era. Después viene uno de los momentos de *apogeo* de los mayas, que *tiene lugar* en la región de Guatemala y Honduras, donde construyen grandes centros religiosos. Los principales vestigios de esta época pueden verse en la región de El Petén, en *plena* selva tropical guatemalteca, adonde solamente se puede llegar en coche, o por avión. Desde hace años trabajan en este lugar un grupo de arqueólogos de universidades norteamericanas. Copán es el principal centro arqueológico maya en Honduras. Este momento de apogeo occurre en la llamada época clásica, y dura setecientos años aproximadamente.

towards the end

highest degree of grandeur / takes place

full

Por alguna razón, hasta ahora sin explicar, los mayas *se trasladan* hacia el norte, y es en el estado de Yucatán, en la península del mismo nombre, donde aparece otro momento culminante de esta civilización, poco tiempo antes de su total extinción. Es la época postclásica. Los principales monumentos de esta época se encuentran en Uxmal y Chichen-Itza, y en forma impresionante, en Palenque, en el Estado de Chiapas, donde *igual que* en El Petén, los arqueólogos tienen que luchar contra la selva para descubrir las ruinas. El contraste que forman las ruinas con la exuberancia de la vegetación es admirable.

move

as

Después de esto no queda más que un silencio impresionante, sepulcral, que no logra explicar la razón de la extinción de esta civilización. Sin embargo, sus templos y otros edificios nos hablan del avanzado conocimiento que tienen de las matemáticas y de la arquitectura, en las que hay un refinamiento que no se encuentra en otras civilizaciones americanas. *Lo mismo* puede decirse de su escultura, por la perfe-

The same

cción que logran en las figuras humanas y en las
grandes serpientes o en el jaguar.

Como *ha sido* y sigue siendo ahora, la alimentación básica de los mayas es el *maíz*, y como comple-
mento el *guajolote* y el *venado*, animales que abundan en esta región y también toda clase de frutas
tropicales. La zona es tremendamente cálida y hú-
meda, lo cual favorece el cultivo del maíz, y del algodón, que lo usan para vestirse.

Sin embargo, no conocen la *rueda* ni los instrumentos de *hierro*, pero usan la *obsidiana* para sus
flechas y el jade como ornamento, además de otras
piedras preciosas. El calendario tan preciso que crean
demuestra el conocimiento que tienen de la as-
tronomía. Su religión es politeísta, y en gran parte
gira alrededor de la agricultura y del maíz, ofre-
ciendo en ocasiones sacrificios humanos a sus dioses.

it has been
corn
turkey / deer

wheel
*iron / dark or green
  volcanic mineral*
arrows

revolves

Ejercicios

A. Complete the sentences with the appropriate word from the list at
the right.

1. Los españoles encuentran _____ de
   una civilización.
2. Las _____ ciudades mayas están
   desiertas.
3. Los mayas construyen grandes
   _____ religiosos.
4. Un grupo de _____
   norteamericanos trabajan en El Petén.
5. Los mayas tienen conocimientos
   _____ de matemáticas.
6. La _____ maya es politeísta.
7. El maíz es la _____ básica de los
   mayas.
8. Los mayas no conocen la _____ ni
   los instrumentos de hierro.
9. El _____ de las ruinas con la
   vegetación es admirable.
10. En la escultura logran la perfección de la
    figura _____.

humana
religión
antiguas
restos
contraste
rueda
antropólogos
alimentación
centros
avanzados

B. Write the infinitive of the verb which corresponds to each word.

1. organización
2. dependencia
3. desarrollo
4. camino
5. suposición

C. Choose the word from column B closest in meaning to each word in column A.

A	B
_____ 1. llamar	a. ordenar
_____ 2. organizar	b. halla
_____ 3. ordena	c. ganar
_____ 4. descubre	d. área
_____ 5. conocer	e. nombrar
_____ 6. conquistar	f. manda
_____ 7. colonia	g. saber
_____ 8. región	h. posesión

D. Choose the word from column B opposite in meaning to each word in column A.

A	B
_____ 1. dentro	a. descubrir
_____ 2. cubrir	b. después
_____ 3. pronto	c. efecto
_____ 4. antes	d. noche
_____ 5. ganar	e. fuera
_____ 6. causa	f. tarde
_____ 7. conocer	g. perder
_____ 8. día	h. desconocer

E. Answer the following questions in Spanish.

1. ¿Cómo se llama la región que une a las dos Américas?
2. ¿Qué países componen Centroamérica?
3. ¿Cuándo desaparece la civilización maya?
4. ¿En qué naciones se desarrolla la civilización maya?
5. ¿Dónde se encuentran los principales monumentos de esta civilización?
6. ¿Cuándo empieza esta civilización, según los historiadores?
7. ¿Cómo son los templos que construyen los mayas?

8. ¿Dónde está la región de El Petén?
9. ¿Cómo se llama el principal centro maya arqueológico de Honduras?
10. ¿Cuál es la base de la alimentación de los mayas?
11. ¿Qué tipo de religión tienen los mayas?

CAPÍTULO 6

Centroamérica II

GUATEMALA. Es la nación situada al norte de Centroamérica. Limita con México, El Salvador, Honduras, Belice y con los océanos Atlántico y Pacífico. Tiene una extensión de poco más de 100.000 kms. cuadrados y una población de unos 7 millones de habitantes. Su geografía es parecida a la del sur de México.

Desde México la conquista don Pedro de Alvarado, capitán de Cortés, en 1524, y funda su capital, Antigua, que es destruída varias veces por *terremotos*. Después se funda la capital actual, Guatemala. Durante la época colonial forma parte de la Capitanía General que comprende el sur de México y la región centroamericana excepto lo que es ahora Panamá.

earthquakes

La población, esencialmente de origen maya, tiene un nivel de educación muy bajo, y habla hasta 21 lenguas prehispánicas. Hay también un 30% de mestizos y casi un 10% de blancos. Sus productos principales son el café y las bananas. El puerto principal es Puerto Barrios, en el Pacífico y la ciudad principal además de la capital es Quetzaltenango. Es también una región de extraordinarias bellezas naturales; tiene volcanes y lagos, como el famoso Lago de Atitlán, importante centro de turismo.

Al lograr su independencia en el siglo XIX cae en manos de dictaduras sucedidas por *golpes de estado*. Últimamente parece que logra mayor estabilidad, pero todavía existen problemas de guerrillas comunistas. Tiene entre sus hijos un Premio Nobel de Literatura, Miguel Ángel Asturias, que describe la vida y la lucha del indio de su país y la corrupción de sus políticos.

coup d'état

EL SALVADOR. Es la más pequeña de las repúblicas centroamericanas, y no tiene salida al Atlántico. Tiene una población predominantemente mestiza. Su producción principal es agrícola y el café es el producto más importante. Este es un país de volcanes y hermosos lagos. Formó parte de la Capitanía General de Guatemala en la época colonial. La independencia la inicia José Matías Delgado, y en la Iglesia de la Merced se encuentra la *campana* símbolo   bell
de la lucha por su libertad. El *sacerdote* José Simeón   priest
Cañas logra la emancipación de los esclavos de Centroamérica en 1824.

La economía está controlada por un pequeño grupo de familias. Con el aumento de la educación pública, el analfabetismo se está reduciendo. Políticamente tiene los mismos problemas que Guatemala, luchas internas, dictaduras y golpes de estado.

HONDURAS. Es la mayor de estas repúblicas y su población de unos 3 millones de habitantes es mestiza en casi su totalidad. La descubre Colón en su cuarto viaje. Las ruinas mayas de Copán son los más importantes monumentos que quedan de esa civilización. Conquista este territorio otro capitán de Cortés, Cristóbal de Olid. Poco después se funda Tegucigalpa, su capital. En ese entonces, los piratas y *filibusteros* ingleses *acosan* sus costas con frecuen-   filibusters / harass
cia. Cuando logra la independencia mantiene guerras con Nicaragua y Guatemala. Después siguen una serie de dictaduras.

Su principal riqueza es la ganadera. En la agricultura los principales productos son el café, azúcar, bananas y las *maderas* preciosas.   wood, lumber

NICARAGUA. Este país tiene aproximadamente la misma extensión y casi la misma población que Honduras. Hay muchos lagos y volcanes también. Su capital, Managua, está al lado del lago del mismo nombre. Su población es 20% blanca y el resto mestiza. Produce algodón, azúcar, tabaco y carne. Colón la descubre en su cuarto viaje y en 1522 la conquista González Dávila que llega desde Panamá. Como episodio curioso de su historia, un americano llamado Walker, logra nombrarse presidente del país, pero muere fusilado por los mismos nicaragüenses. Al principio de la independencia el país goza de cierta estabilidad política. Por muchos años se habla de un canal entre los dos océanos, proyecto que patrocina Estados Unidos pero que no llega a realizarse.

Nicaragua es la *cuna* del gran poeta Rubén Darío birthplace que llega a *ejercer* una gran influencia en toda la exert, show poesía de la lengua española. Los norteamericanos ocupan Nicaragua por 20 años, y el nicaragüense Sandino *dirige* la lucha contra ellos, con lo que se directs convierte en un símbolo de la independencia de su país. Poco después de lograrla es asesinado. Después empieza el dominio de la familia Somoza hasta que el último de ellos se ve obligado a salir al exilio en 1979. En 1980, el hijo murió como su padre, asesinado en la calle.

COSTA RICA. Tiene la misma población que Honduras pero sólo *un tercio* de su extensión. Colón one third la descubre y le da este nombre. Esta república es un ejemplo de democracia en Hispanoamérica. Casi sin tradición indígena, tiene una población en su mayoría de descendencia española, culta y homogénea. No tiene ejército. Sus productos principales son el café, cacao y bananas. Se independiza de la Federación Centroamericana en 1838 y su estabilidad política se interrumpen solamente dos o tres veces en su historia.

PANAMÁ. Tiene 2 millones de habitantes y mide 250 kilómetros de largo. Es descubierta también por Colón en su cuarto viaje. En 1513 Nuñez de Balboa descubre el Océano Pacífico. En la época de la colonia esta república depende de Colombia. La mayoría de su población es mestiza, pero hay también blancos, indios, negros y mulatos. Panamá, su capital, y Colón son las ciudades principales en el Pacífico y en el Atlántico.

En el siglo XVII el pirata Morgan saquea Panamá. Después de su independencia con Colombia, Estados Unidos empieza la construcción del canal. Hernán Cortés ya había expuesto esta idea del canal a Carlos V y de hecho esta zona es, desde el principio de la colonia, el lugar donde se comunican el este y el oeste de la América española. Los norteamericanos inauguran el canal en 1914 y mantienen su soberanía en esta zona hasta 1977 cuando firman el tratado por el que *ceden* a Panamá la soberanía de la zona del yield, give up canal. Unas cuantas familias controlan la economía del país a través del gobierno y desde la independencia se suceden las insurrecciones y los golpes de estado.

Ejercicios

A. Complete the sentences with the appropriate word from the list at the right.

1. Guatemala es muy _____ al sur de México.
2. Miguel Ángel Asturias escribe la _____ de los políticos.
3. En 1824 se logra la _____ de los esclavos.
4. La economiá la _____ un pequeño grupo de familias.
5. La población de Honduras es _____ en casi su totalidad.
6. El _____ de la familia Somoza dura muchos años.
7. Costa Rica no tiene _____ y es un ejemplo de democracia.
8. Nicaragua es tierra de lagos y _____ también.
9. Nuñez de Balboa _____ el Océano Pacífico.
10. Estados Unidos cede a Panamá la _____ del canal.

descubre
volcanes
parecida
libertad
ejército
corrupción
controla
dominio
soberanía
mestiza

B. Write the infinitive of the verb which corresponds to each word.

1. límite
2. igual
3. reinado
4. educación
5. vida

C. Choose the word from column B closest in meaning to each word in column A.

A	B
_____ 1. extensión	a. país
_____ 2. nación	b. principal
_____ 3. población	c. abarca
_____ 4. esencial	d. grado
_____ 5. época	e. superficie
_____ 6. comprende	f. habitantes
_____ 7. educación	g. era
_____ 8. nivel	h. formación

D. Choose the word from column B opposite in meaning to each word in column A.

	A		B
_____	1. ahora	a.	menos
_____	2. más	b.	desnivel
_____	3. construir	c.	tampoco
_____	4. nivel	d.	débil
_____	5. bajo	e.	nunca
_____	6. también	f.	destruir
_____	7. lleno	g.	alto
_____	8. fuerte	h.	vacío

E. Answer the following questions in Spanish.

1. ¿Cuántas naciones forman Centroamérica?
2. ¿Cuál es la república centroamericana más pequeña?
3. ¿Dónde está el famoso lago de Atitlán?
4. ¿Qué nación centroamericana no tiene salida al Atlántico?
5. ¿En qué nación centroamericana están las ruinas de Copán?
6. ¿De qué nación centroamericana fue presidente el norteamericano Walker?
7. ¿Dónde nació el poeta Rubén Darío?
8. ¿Por cuántos años ocupan Nicaragua los norteamericanos?
9. ¿Cómo es la población de Costa Rica?
10. ¿Cuándo descubre Colón Panamá?
11. ¿De qué nación depende Panamá antes de su independencia?
12. ¿En qué año los norteamericanos ceden a Panamá la soberanía de la zona del canal?

CAPÍTULO 7

Las Antillas mayores

Se llama ANTILLAS al archipiélago formado por las islas situadas en el Mar Caribe o Mar de las Antillas desde Florida hasta Venezuela. Las Antillas mayores son Cuba, Santo Domingo, Puerto Rico y Jamaica; las cuatro islas fueron posesiones españolas hasta que los ingleses conquistaron Jamaica en 1655. Estas islas fueron las primeras tierras descubiertas por Colón en América en 1492. Colón creyó que *había llegado* a la India y les dio el nombre de Indias Occidentales. El *obispo* de Madrid todavía mantiene el título de Patriarca de las Indias Occidentales. | he had arrived

bishop

CUBA. « La Perla del Caribe o de las Antillas », como le llaman en el mundo hispánico a esta isla, es la mayor del archipiélago, y quizás el territorio hispanoamericano que tuvo mayor influencia española entre las antiguas colonias de España en América, *por haber sido* la última en lograr su independencia. Esta bella isla del Caribe tiene una extensión de poco más de 100.000 kms. cuadrados, la *quinta* parte de España aproximadamente y una población estimada en 11 millones de habitantes. Su capital, La Habana, es una ciudad muy bonita y en su puerto está el castillo del Morro, construido en el siglo XVI para su defensa. Esta isla, como todas las del Caribe, se vió abajo *de la codicia de Inglaterra*, que al final la ocupó en el siglo XVIII por un año. | because it has been

fifth

the greed of England

Al principio de la época colonial, Cuba sirve de *puente* para las expediciones que salen para la conquista de México por Cortés, y para el descubrimiento del río Misisipí por Hernando de Soto. Cuando en el siglo XIX empieza la lucha por la independencia en toda la América española, aparece | bridge

40

la figura de José Martí, escritor y poeta de exquisita
sensibilidad, considerado el apóstol de a independencia. Cuba no consigue la independencia sino
hasta el año 1902 tras *cruenta* y larga lucha, en la que   bloody
interviene Estados Unidos, que recibe Cuba de Es-
paña en 1898. Con este episodio termina la época
colonial española en América.

A raíz de la independencia siguen períodos de   Right after
inestabilidad política y varias dictaduras. Durante la
dictadura de Batista empieza la revolución de Fidel
Castro quien la prepara en la Sierra Maestra y logra
el poder en 1958. Cuba se convierte en el primer país
comunista de América. Esta revolución es la causa
de una gran emigración de cubanos a Estados Unidos
y a España. Estos inmigrantes logran formar una verdadera ciudad cubana dentro de la ciudad de Miami.
En 1962, Cuba provoca una gran tensión mundial *con*   because of
motivo de la llegada de los *cohetes rusos* a la isla.   Russian rockets,
Parece que va a haber otra intervención norteame-   missiles
ricana, pero los rusos desisten.

Cuba es una de las principales naciones productoras de caña de azúcar y también de los más famosos
cigarros del mundo, los « habanos o puros ». Además es conocida en todo el mundo por su música, de
ritmo africano.

SANTO DOMINGO. « La Española », como la
llama Colón cuando descubre esta isla en su primer
viaje, comprende *actualmente* dos naciones, Santo   at present
Domingo y Haití. Santo Domingo es un país hispanoamericano y tiene una extensión de 50.000 kms.
cuadrados y una población de 6 millones de habi-
tantes. Colón construye el *Fuerte* de *Navidad* con los   fort / Christmas
restos del *naufragio* de la Santa María, y al año si-   shipwreck
guiente, en su segundo viaje encuentra que los
aborígenes *han destruido* el fuerte y *matado* a su *guar-*   have destroyed /
nición. En Santo Domingo se establecen la primera   killed / garrison
Audiencia, la primera Diócesis y la primera Univer-   Law court
sidad de América. Sir Francis Drake y otros piratas
ingleses y holandeses atacan a la isla. Los franceses
ocupan parte de la misma y cuando se emancipan los
esclavos en 1804, Haití se independiza.

Haití tiene una gran proporción de población mu-
lata. Sus principales productos son la caña de azúcar,
café, cacao y tabaco. El idioma oficial del país es el
francés. Aunque la religión adoptada es la católica,
practican el « *vudú* » en las areas rurales.   voodoo

PUERTO RICO. Colón descubre esta isla en su segundo viaje. Tiene *apenas* 9.000 kms. cuadrados de *superficie* y 3 millones de habitantes. La capital, San Juan, tiene un profundo sabor español y es muy visitada por los turistas. Durante la colonia, la isla es objeto de varios ataques de piratas ingleses y holandeses, pero nunca logran conquistarla. El interior de la isla tiene bellezas naturales extraordinarias y en la costa hay bellísimas playas. España pierde esta isla en la guerra con Estados Unidos en 1898, cuando *entrega* los restos de su imperio colonial: Cuba, Puerto Rico, las Filipinas y Guam a los norteamericanos. Así este país, aunque se separa de España no logra su total independencia, pues se convierte en un *protectorado* de Estados Unidos. Sus *ciudadanos* tienen la nacionalidad norteamericana, y desde 1947 pueden *nombrar* a su *propio* gobernador. *Así mismo* tienen un representante en el Congreso *que tiene voz pero no voto.* Es un Estado Libre Asociado y está representado por el gobierno norteamericano en muchos aspectos de su administración. Las tres tendencias políticas más importantes son: la de su *anexión total* a Estados Unidos, la que *aboga* por la independencia total y la que cree que debe de continuar en su estado actual.

scarcely, hardly
area

surrenders

protectorate / citizens

appoint / own / Likewise
has a voice, but no vote

total dependency
advocates, pleads

Ejercicios

A. Complete the sentences with the appropriate word from the list at the right.

1. Las Antillas son las primeras _____ descubiertas por Colón.
2. José Martí es un _____ cubano.
3. La revolución causa una gran _____ de cubanos.
4. Cuba es el primer país _____ de América.
5. Los « habanos o puros » son los _____ más famosos del mundo.
6. En Santo Domingo se establece la primera _____ de América.
7. Los _____ destruyen el Fuerte de Navidad.
8. Los franceses ocupan _____ de la isla de Santo Domingo.

parte
sabor
indios
tierras
emigración
poeta
comunista
ciudadanos
universidad
cigarros

9. Los puertorriqueños son _____
   americanos.
10. San Juan de Puerto Rico tiene mucho
    _____ español.

B. Write the infinitive of the verb which corresponds to each word.

1. formación
2. descubrimiento
3. construcción
4. causa
5. estimación

C. Choose the word from column B closest in meaning to each word in column A.

A	**B**
_____ 1. situado	a. continuar
_____ 2. seguir	b. arribar
_____ 3. obtener	c. joya
_____ 4. llegar	d. palacio
_____ 5. mantener	e. colocado
_____ 6. perla	f. conseguir
_____ 7. principio	g. retener
_____ 8. castillo	h. comienzo

D. Choose the word from column B opposite in meaning to each word in column A.

A	**B**
_____ 1. primero	a. falsa
_____ 2. verdadera	b. salida
_____ 3. bonita	c. ensensible
_____ 4. entrada	d. deformado
_____ 5. anterior	e. último
_____ 6. sensible	f. fea
_____ 7. antiguo	g. posterior
_____ 8. formado	h. moderno

E. Answer the following questions in Spanish.

1. ¿Cuáles son las Antillas Mayores?
2. ¿Cómo le llaman a la isla de Cuba en el mundo hispánico?
3. ¿Quién es José Martí?
4. ¿Dónde prepara la revolución Fidel Castro?

5. ¿Qué resulta de esta revolución?
6. ¿Cómo llama Colón a la isla de Santo Domingo?
7. ¿Qué otra nación ocupa actualmente la isla de Santo Domingo?
8. ¿Cómo llama Colón al fuerte que construye con los restos de la Santa María?
9. ¿Cómo es la ciudad de San Juan de Puerto Rico?
10. ¿En qué año pierde España esta isla?
11. ¿Dónde se establece la primera universidad en América?
12. ¿Cuáles son las tres tendencias políticas actuales de Puerto Rico?

CAPÍTULO 8

Nueva Granada

Así se llamaba en los tiempos coloniales al virreinato que comprendía lo que ahora son las repúblicas de Colombia, Venezuela, Ecuador y Panamá. Al llegar la hora de la independencia, toma el nombre de la Gran Colombia *en recuerdo del* descubridor. Pocos años más tarde, se separan Venezuela y Ecuador para convertirse en repúblicas independientes y por último Panamá, que logra también su independencia en 1903. in memory of

COLOMBIA. Es la mayor de estas repúblicas, con más de un millón de kilómetros cuadrados y 26 millones de habitantes. Su población es una mezcla de indios, negros y europeos (mestizos, mulatos y *zambos*) en un 60%, un 20% descendientes de europeos, principalmente españoles y otro 20% aproximadamente, que descienden de negros y de indios. La mayor parte de la población vive en la zona costera y en las ciudades al pie de la *cordillera andina*, en la zona oeste y en el norte del país. Indian and Negro half-breeds Andean mountain range

La capital, Bogotá, es una ciudad moderna y tiene fama de ser la ciudad que más conserva las tradiciones españolas de toda hispanoamérica. La influencia de la iglesia católica es decisiva en la educación y en las costumbres, por ser católica la inmensa mayoría de sus habitantes. Colombia tiene fama también de ser la nación hispanoamericana en donde se habla con mayor *pureza* el idioma *castellano*. purity / Castilian, Spanish (language)

El país se divide en varias zonas totalmente distintas: La zona costera, la montañosa de la cordillera andina, la zona de los grandes llanos y la zona de la selva amazónica.

El colombiano se siente *orgulloso* de producir uno de los cafés mas codiciados del mundo, que se cultiva principalmente en las *laderas* de los Andes y también de tener en su *suelo* las más ricas esmeraldas (entre el 90 y 95% de la producción *mundial* de esta piedra preciosa). Por otro lado tiene el problema de ser una de las naciones de mayor tráfico de drogas en el mundo, con *ingresos* enormes de la exportación ilegal de mariguana y cocaína. Esto *ha requerido* en los últimos años *severas medidas* por parte del gobierno para eliminar este tráfico, que *iba dirigido* principalmente a Estados Unidos.

proud

slopes
soil, ground
universal, world

incomes, profits, revenues
has required
strict rules, measures
it was going

Aunque no hay problemas raciales importantes *a primera vista*, hay una gran *desigualdad* en el *reparto* de la riqueza, siendo una muy pequeña parte de la población la que goza de un alto nivel de vida. La mortalidad infantil es bastante elevada y existe todavía un 20% de *analfabetismo*.

at first view; glance
unevenness / distribution

illiteracy

En la región de los llanos hay grandes extensiones de *prados* naturales en las que ricos *hacendados* se dedican a la cría de ganado, que es otra de las principales producciones del país.

meadows / cattle ranchers

Colombia tiene una serie de ríos *caudalosos* que *partiendo* de los Andes van al Atlántico; son *afluentes* del Orinoco o del Amazonas. El río típico del país es el río Magdalena que es una de las principales *vías* de comunicación y que *desemboca* en el Caribe por el puerto más importante del país, Barranquilla. En una *travesía* por este río puede observarse la vida del país, sus *ciudades ribereñas*, y en sus pequeños puertos los numerosos restaurantes que ofrecen al turista típicos platos de pescado, *salpicón* (postre hecho con varias frutas tropicales), y *masato* (una bebida de arroz fermentado). Al sur de Barranquilla está Cartagena de Indias, ciudad colonial con fuertes construidos para la defensa contra los piratas en los primeros tiempos de la colonia.

of great volume
starting / tributaries

waterways
flows, empties

voyage
riverside cities

cold fish made with fruits
Colombian drink

La vida en la selva amazónica, al sur y oeste del país la describe en forma extraordinaria en « La Vorágine », uno de los mejores novelistas de Colombia, José Eustasio Rivera.

engolfing, whirlpool

VENEZUELA. Situada al norte del continente sudamericano, entre Colombia, la Guayana inglesa y Brasil, *se asoma* por el norte al Caribe. Es un poco más pequeña en extensión que Colombia y tiene poco más de la *mitad* de su población. Las

begin to show or appear

half

características de la población son semejantes a las del vecino país, con una gran mayoría de mestizos, negros, blancos e indios. Su nombre viene en recuerdo de Venecia, cuando los españoles descubrieron en el siglo XVI la región de Maracaibo, donde los indios vivían en *viviendas lacustres*, el descubridor del país fue el mismo Cristóbal Colón en 1498.

dwelling houses in the lake

También en Venezuela hay que distinguir entre la región costera, donde está *asentada* su capital, Caracas; la región de los Andes, al norte; la de los grandes llanos, siguiendo el curso del Orinoco y la zona de la selva amazónica.

established, settled

Caracas es una ciudad ultramoderna, con grandes edificios de *acero* y concreto, amplias avenidas y modernas *supercarreteras*. Entre la multitud que llena sus calles puede verse la diversidad de su población aunque existen muy pocos prejuicios raciales. La mayor parte de la población blanca es española de origen, pero *ha habido* una gran inmigración italiana y no es nada raro encontrar nombres alemanes e ingleses. También, *debido a* su intenso comercio con Estados Unidos, tiene gran influencia de este país.

steel
superhighways

it has been

due to

Además de la capital, las dos principales ciudades Maracaibo y Valencia están en la costa del Caribe. El acento del venezolano es muy semejante al del resto de los países del Caribe y lo mismo ocurre con su música, pero hay gran diferencia con la población del interior.

Cerca de la frontera con Colombia, en el norte, está el Lago Maracaibo, una de las principales zonas petrolíferas del mundo; los venezolanos *están tratando* de industrializar al país con los beneficios del petróleo. Su nivel *medio de vida* es superior al de la mayoría de los países hispanoamericanos.

are managing, trying

middle class

La región de los grandes llanos, aunque muy poco poblada, contiene una gran riqueza ganadera y está recorrida por el río Orinoco. La vida en esta región está *descrita* en forma admirable por un gran novelista venezolano, el « cantor de los llanos », Rómulo Gallegos, en la novela « Doña Bárbara ». Gallegos describe en su libro la vida del campo primitivo con sus hombres y mujeres de carácter duro y excepcional, junto a la belleza de los ríos y de los llanos.

described

Gallegos, que además de escritor fue político, es considerado por los venezolanos como un símbolo de su patria, por su amor al país y a la democracia. Llegó a la presidencia del país y *fue derrocado* por un *golpe militar*.

was overthrown
a military blow

EL ECUADOR. Es la más pequeña de las repúblicas que nacen del virreinato de Nueva Granada. Tiene 250 mil kilómetros cuadrados y unos ocho millones de habitantes. Es más bien una nación andina, semejante al Perú, que la limita por el este y sur. Al norte tiene frontera con Colombia y al oeste con el Océano Pacífico. En el siglo XVI era parte del virreinato del Perú y fue el primer país hispanoamericano que intentó su independencia de España.

Es una de las regiones más volcánicas del mundo. Su población es casi un 50% india, un 10% negra, el resto mestiza y sólo un pequeño porcentaje europea. La mayor parte de la población vive en la zona costera y la mayor concentración de población indígena reside en la cordillera andina y en la selva amazónica, donde existen en condiciones no muy diferentes a las de hace quinientos años, cuando llegaron los españoles.

Entre las tribus indias que habitan en la selva ecuatoriana en un estado completamente primitivo están los indios jívaros, famosos por su tradición de conservar las cabezas de sus enemigos momificadas después de haberlas reducido.

A pesar de tener una gran riqueza potencial en la minería, agricultura y en el petróleo, el Ecuador es un país subdesarrollado y con grandes diferencias sociales, que están basadas sin duda en cuestiones raciales aunque no se manifiestan abiertamente.

In spite of having

Quito, la capital, es una antigua ciudad india con un profundo sabor colonial, y su población bastante conservadora y tradicional con una gran influencia española. Guayaquil, la ciudad más importante, es más alegre y abierta a otras influencias. Aunque el idioma oficial es el español, muchos indios todavía hablan el quechua, heredado del imperio inca.

Fuera de las ciudades principales, el nivel de vida es muy bajo, y la mayor parte de sus riquezas naturales *están en manos* de unas *cuantas* familias que dirigen la vida política y económica del país.

belong to / some

Ejercicios

A. Complete the sentences with the appropriate word from the list at the right.

1. Nueva Granada toma este nombre de la _____ de Granada.

2. Colombia es la _____ de estas cuatro naciones.

3. Bogotá tiene _____ de ser muy tradicional.

4. La _____ amazónica está muy despoblada.

5. Venezuela se asoma al _____ por el norte.

6. En Caracas se observa una gran _____ racial en la población.

7. El lago Maracaibo _____ mucho petróleo.

8. Los grandes llanos tienen una gran _____ ganadera.

9. En el Ecuador hay muchos indios que todavía hablan el _____.

10. El _____ de vida en el Ecuador es muy bajo.

riqueza
nivel
ciudad
diversidad
quechua
fama
Caribe
selva
mayor
tiene

B. Write the infinitive of the verb which corresponds to each word.

1. fundador
2. nombre
3. mezcla
4. decisión
5. división

C. Choose the word from column B closest in meaning to each word in column A.

A	B
_____ 1. ahora	a. recorrido
_____ 2. curso	b. tiempo
_____ 3. nacer	c. religión
_____ 4. hora	d. similar
_____ 5. separar	e. actual
_____ 6. iglesia	f. originar
_____ 7. hablar	g. dividir
_____ 8. semejante	h. contar

D. Choose the word from column B opposite in meaning to each word from column A.

	A		B
_____	1. pureza	a.	ateo
_____	2. religioso	b.	pequeño
_____	3. morir	c.	áspero
_____	4. grande	d.	cerrada
_____	5. pesado	e.	impureza
_____	6. suave	f.	nacer
_____	7. mejores	g.	ligero
_____	8. abierta	h.	peores

E. Answer the following questions in Spanish.

1. ¿Qué naciones actuales formaban el virreinato de Nueva Granada?
2. ¿De qué tiene fama Bogotá, la capital de Colombia?
3. ¿En cuántas zonas distintas se divide Colombia?
4. ¿Qué hay en la región de los grandes llanos?
5. ¿De dónde viene el nombre de Venezuela?
6. ¿Cómo es la ciudad de Caracas?
7. ¿Cómo vivían los indios de la región de Maracaibo?
8. ¿Por qué es importante el lago Maracaibo?
9. ¿Cómo se llama la capital del Ecuador?
10. ¿Dónde vive la mayor concentración de población indígena?
11. ¿Qué otro idioma hablan los indios del Ecuador?

CAPÍTULO 9

El Perú y los incas

Muchos siglos antes de descubrir Colón América, existían ya varias civilizaciones en el Perú. Después, como resultado del perfeccionamiento de éstas, *surgió* la civilización incaica, en todo el territorio que comprende hoy día el Perú, el Ecuador, Bolivia y parte de Chile y la Argentina.

arose

Cuando Francisco Pizarro inició la conquista del Perú, en 1531, se tenían noticias de la existencia de un reino fabuloso. Las noticias habían llegado a Panamá, donde se encontraba Pizarro *dispuesto* con un espíritu similar al de Cortés. Lo que encontró Pizarro fue una civilización en pleno *vigor*—la civilización incaica.

ready, prepared
force

El imperio incaico estaba gobernado por un rey, el Inca. Así se llamaba también a cada miembro de la familia, y por extensión a la población y a la misma civilización. El gran *dios* de este imperio era el Sol, al cual se le dedicaban templos y se le ofrendaban riquezas en *oro*, *plata*, y otros metales y piedras preciosas.

god
gold / silver

Según la tradición, el fundador de esta civilización fue Manco Capac, el cual fue *engendrado* por el Sol en el lago Titicaca. Allí se *le encarga* que construya la ciudad de Cuzco, como capital del imperio y en ella un templo dedicado al Sol.

engendered, created
commissioned him

Manco Capac *se casó* con su hermana, y así fundaron la dinastía de los Incas. La base de la sociedad era el « ayllu », una especie de comunidad primitiva de tipo familiar, que functionaba como una unidad de trabajo en la agricultura. El sistema de gobierno era despótico y de tipo comunitario. Existían *castigos* crueles y las bases de sus creencias eran tradiciones

married

punishments

que pasaban de generación en generación. Sus conocimientos de la arquitectura eran muy avanzados y construían con grandes piedras que las adaptaban unas a otras sin necesidad de *unirlas* con *argamasa*. join them / mortar
Entre las ruinas que se conservan, pueden verse ciudades y fortalezas construidas de esta forma como en las famosas de Machu Picchu, en el Perú. Tenían vías de comunicación hechas con puentes de piedra, canales para irrigación y un sistema agrícola muy avanzado. En la medicina también habían logrado amplios conocimientos, así como en el uso de las *hierbas* herbs
medicinales. En la *cerámica* y los productos textiles art of making pottery
también habían llegado a un alto desarrollo. La tierra estaba dividida entre el Inca, o sea, la familia real, los sacerdotes y el pueblo, y tenían un sistema de *impuestos* que servía para mantener los servicios co taxes
munes y también a la familia del Inca. Además tenían adecuados sistemas de *correos*, *contabilidad* y mail / book-keeping
estadísticas.

Varios *cronistas* de la época describieron *lo que* chronicler, a register
iban viendo conforme se *iban adentrando* en esta civi of events / what they
lización, pero *nadie lo hizo* como el Inca Garcilaso de were seeing /
la Vega en sus « Comentarios Reales ». El autor era according to / were
hijo del capitán español García Lasso de la Vega y de going farther into
la princesa inca Isabel Chimpu Oclla, prima de Ata nobody wrote it
hualpa. En su obra recogió las tradiciones *oídas* en hearsay
la familia y con sus amigos « . . . tuve noticia de todo lo que vamos escribiendo, porque en mis *niñeces* me contaban sus historias como se cuentan childhood
las *fábulas* a los niños. » fables

Cuando Pizarro llegó al Perú, el inca Huayna Cápac había dividido su reino entre sus hijos Atahualpa y Huáscar. Al primero le dio Quito, el Ecuador, y al segundo Cuzco en el Perú. Lo mismo que hizo Cortés en México *al aprovecharse de* las di take advantage of
visiones que encontró entre sus habitantes para *ven* to conquer, overcome
cer a Moctezuma, Pizarro, desde el principio, tomó *ventaja* de las luchas entre los dos hermanos para la advantage
conquista del Imperio Inca. Era el año 1531. Al año siguiente capturó a Atahualpa *engañándolo* y lo eje deceiving him
cutó después de haber conseguido de él—como promesa—un cuarto lleno de oro, plata y piedras preciosas. Después conquistó la ciudad del Cuzco y en 1535 fundó la capital, Lima.

Así se formó luego el Virreinato del Perú, el cual abarcó durante la época colonial varios países de Su damérica; se fundó la Universidad de San Marcos en 1553. Fue la primera universidad sudamericana.

Durante la época colonial *hubo* una serie de guerras civiles y *asesinatos* entre los conquistadores. En una de esas luchas murió Francisco Pizarro. El dominio español en el Perú duró cerca de tres siglos, hasta que en 1821, el general argentino San Martín, entró en la ciudad de Lima como Protector de la Independencia, y en 1824 el general Sucre venció definitivamente a las tropas españolas en la batalla de Ayacucho. Después de conseguida la independencia del país todavía siguieron las luchas con los países vecinos por cuestiones territoriales. Se sucedieron varios gobiernos democráticos interrumpidos por golpes militares y, también es verdad, una verdadera y constante intención, por parte de muchos, de mejorar la condición de la población indígena, pero *por desgracia* todavía *queda mucho por hacer.*

La actual nación del Perú tiene un millón, 250 mil kilómetros cuadrados *o sea,* casi tres veces la extensión de España y una población de unos 18 millones de habitantes. Sus fronteras son con el Ecuador y Colombia por el norte, con el Brasil y Bolivia por el este, con Chile por el sur y con el Océano Pacífico por el oeste. Hay tres zonas con diferentes características. La zona costera con sus riquezas tradicionales de pesca y de *guano* que es donde vive la mayor parte de la población blanca y mestiza; en ella están Lima con su puerto de El Callao y la ciudad de Trujillo; su clima está *suavizado* por la *corriente* de Humboldt. La zona montañosa de los Andes, es donde se encuentra más de la mitad de la población indígena, que vive muchas veces a alturas superiores a los tres mil metros; los indios aquí se dedican a la agricultura, minería y ganadería. Los animales típicos de la región son la llama, la vicuña y la alpaca, además del *cordero,* que proporcionan carne, leche, lana y *el medio de* transporte de *carga.* Para combatir el *cansancio* que produce el trabajo a esas altitudes *mascan* los indios las *hojas* de la coca, de la que se extrae la cocaína. La zona selvática, sin explorar en gran parte todavía, *encierra* las *fuentes* del río más caudaloso del mundo, el Amazonas, que después de recorrer 6.000 kilómetros atravesando Brasil desemboca en el Océano Atlántico. Su principal riqueza es la flora; maderas ricas como el *ébano* y la *caoba,* y

Marginal glosses:
there was
assassinations

unfortunately
remains a lot to do

that is to say

manure

mild, gentle / current

mahogany

lamb
the means of / load
fatigue, tiredness
chew / leaves

contains, includes / sources

ebony / mahogany

otros productos tropicales, entre los que destaca el
quino, del que se extrae la quinina para combatir la   the cinchona tree, an
fiebre palúdica.   evergreen of the
  madder family
  malaria

Ejercicios _____

A. Complete the sentences with the appropriate word from the list at
   the right.

   1. La civilización incaica existía _____   sol
      del descubrimiento de América.   antes
   2. El gran dios de los incas era el   caudaloso
      _____.   universidad
   3. La _____ de la sociedad incaica era   capturó
      el Ayllu.   vida
   4. Los productos _____ habían llegado   base
      a un alto desarrollo.   impuestos
   5. Tenían un sistema de _____ para   batalla
      mantener los servicios comunes.   textiles
   6. Pizarro _____ a Atahualpa y
      después lo ejecutó.
   7. En 1553 se fundó la _____ de San
      Marcos.
   8. Sucre venció a los españoles en la
      _____ de Ayacucho.
   9. En el Perú quieren mejorar la _____
      de los indígenas.
   10. El Amazonas es el río más _____
      del mundo.

B. Write the infinitive of the verb which corresponds to each word.

   1. perfección
   2. presencia
   3. encargo
   4. trabajo
   5. irrigación

C. Choose the word from column B closest in meaning to each word in
   column A.

A	B
_____ 1. resultado	a. ofrecen
_____ 2. dedican	b. listo
_____ 3. parte	c. fuerza

_____ 4. dispuesto   d. edificar
_____ 5. ejecutar   e. fin
_____ 6. vigor   f. porción
_____ 7. gobernada   g. matar
_____ 8. construir   h. regida

D. Choose the word from column B opposite in meaning to each word in column A.

	A		**B**
_____ 1.	dispuesto	a.	vive
_____ 2.	muere	b.	llanos
_____ 3.	cansancio	c.	atrás
_____ 4.	montañas	d.	comprar
_____ 5.	famosas	e.	indispuesto
_____ 6.	adelante	f.	descanso
_____ 7.	avanzado	g.	desconocidas
_____ 8.	vender	h.	atrasado

E. Answer the following questions in Spanish.

1. ¿Quién fue el conquistador del Perú?
2. ¿Qué civilización había en el Perú a la llegada de los españoles?
3. ¿Cómo se llamaba el fundador de la civilización incaica?
4. ¿Dónde están las principales ruinas de la civilización incaica?
5. ¿Qué hizo Pizarro con Atahualpa?
6. ¿Cuánto tiempo duró el dominio español en el Perú?
7. ¿Qué militar argentino ayudó a conseguir la independencia del Perú?
8. ¿En qué batalla venció Sucre definitivamente a los españoles?
9. ¿Cuáles son las riquezas tradicionales de la zona costera del Perú?
10. ¿Cuáles son los animales típicos del Perú y qué proporcionan ellos?
11. ¿Dónde vive más de la mitad de la población indígena?
12. ¿Qué hacen los indios del Perú para combatir el cansancio?

CAPÍTULO 10

Chile y las dos repúblicas centrales

El nombre de CHILE tiene su origen en la palabra india « Chilli » que significa « el último lugar del mundo ». Aunque actualmente, con los modernos medios de comunicación no hay obstáculo para llegar a este país tanto por tierra como por aire o mar, se comprende fácilmente este nombre si *se tiene en cuenta* que para llegar a este país hay que atravesar por el norte un gran desierto, donde nunca llueve, que lo separa del Perú; o hay que cruzar una tremenda *barrera*, como es la Cordillera de los Andes, que separa a Chile de Bolivia y la Argentina *a lo largo de* unos 4.500 kilómetros; o hay que llegar por el Océano Pacífico que baña todo el oeste de la república. Entre estas dos últimas barreras, el país tiene *un promedio de* unos 280 kilómetros de ancho.

one takes into consideration

barrier
lengthwise

an average of

Chile es el país hispanoamericano en donde los españoles encontraron mayor oposición. La lucha heroica y constante de los « araucanos », se mantuvo durante toda la época de la colonia y no se logró su sumisión sino hasta fines del siglo pasado, cuando Chile ya era una nación independiente. Este pueblo vivía en el valle central del país, o sea donde ahora se concentra la mayor parte de la población chilena.

Ercilla, un soldado español, que intervino en la conquista de Chile, escribió un poema épico, « La Araucana, » acerca del heroísmo de este pueblo en su lucha contra el extranjero que lo quería dominar. Aunque no logró su independencia, Caupolicán, el

héroe y guerrero araucano, es el símbolo de la independencia de los modernos chilenos.

La población de Chile es de unos trece millones
de habitantes, y tiene características semejantes a las
de la Argentina, en su gran mayoría de origen español o europeo, con muy poco mestizaje y escasa
población indígena. Puede decirse que el país es
eminentemente de cultura europea.

Santiago, la capital, y Valparaíso que está a corta
distancia y es el puerto principal, son ciudades modernas muy parecidas a las ciudades españolas. La
vida diaria tiene también su parecido a la vida española. Al chileno le gusta saborear buenos vinos,
de los que tiene en abundancia en los « *fundos* »   big ranches
(haciendas) del valle central, donde hay *viñedos* y   vineyards
grandes extensiones de otros productos agrícolas. El
clima es de tipo mediterráneo, lo que favorece tanto
la agricultura como la ganadería.

La *cocina* chilena es también muy parecida a la   cuisine, cooking
española, y su plato típico, la « *empanada* », o cual-   meat turnover
quier otro de la gran variedad de pescados que se
logran en su extensa costa, acompañado de un buen
vaso de vino es una delicia a la que el chileno sabe
dedicarle su atención.

El *índice cultural* de la población de Chile es uno   cultural index
de los más altos de la América hispánica y el del
analfabetismo, uno de los más bajos. En el terreno
económico, está entre los principales países productores de *cobre* del mundo. Su riqueza minera   copper
constituye su fuente principal de *divisas*.   currency, foreign
     exchange

A pesar de su larga tradición democrática, desde
hace unos años, Chile está en manos de una dicta-
dura militar represiva que ha sido *reprochada* por   reproached
gran número de gobiernos.

BOLIVIA. Es una de las dos naciones sudameri-
canas que no tiene *salida* al mar, con una extensión   exit, outlet
de más de un millón de kilómetros cuadrados y una
población que *sobrepasa* los seis millones de habi-   excel, surpass
tantes.

Adopta este nombre en recuerdo del Libertador
Simón Bolívar. Su capital, La Paz, es la capital que
está situada a más altitud en el mundo, pasando de
los tres mil metros de altura.

Geográfica y étnicamente *pertenece* al grupo de los   belongs
países andinos y es como una prolongación del Perú.

Más de la mitad de la población es indígena sin mezcla, hay otra gran proporción de mestizaje y un 15%, más o menos de blancos, principalmente descendientes de españoles. La mayor parte de los núcleos de población están situados en una gran *altiplanicie* entre los dos *macizos* montañosos más importantes de los Andes, a alturas muy elevadas sobre el nivel del mar. Esta es la única forma de compensar el clima tremendamente *caluroso* de los terrenos bajos en estas latitudes.

tableland
solid, massive

warm, hot

A fines del siglo pasado, unida al Perú, Bolivia luchó contra Chile por cuestiones territoriales. El resultado fue la *pérdida* de la pequeña porción de costa que tenía en el Pacífico. Esto contribuyó al *aislamiento* de esta nación del resto del mundo. *Desde entonces*, los políticos bolivianos y el pueblo *no dejan de* pretender la recuperación de esa costa, y hay constantes conversaciones con Chile y el Perú, e *incluso* en las Naciones Unidas, para obtener otra vez esa puerta al exterior que es esencial para su economía. Este aislamiento ha contribuido a su *falta de* desarrollo.

loss
isolation
Since then / do not cease, stop

even

lack of

Además de esto, la zona andina de Bolivia es la más abrupta y ancha, y por sus enormes alturas, la tierra no es productiva. El cultivo de la patata y la cría de llamas son los dos elementos principales en que descansa la vida del indio de la altiplanicie. El principal recurso económico del país es el *estaño*, y la agricultura, y ahora el petróleo que se ha descubierto en la zona de la selva tropical, al este del país.

tin

La ciudad más importante de la zona este es Santa Cruz, de la que salen *ferrocarriles* que comunican Bolivia con los puertos del Brasil y de la Argentina. A través de los Andes también se puede comunicar esta zona con el Perú, pero los *accidentes geográficos* son tan grandes que *el cruzar* el continente desde el Perú hasta el Brasil o la Argentina es toda una aventura.

railroads

geographic roughness, unevenness
crossing

El indio boliviano es del mismo grupo que el peruano, y su vida es muy semejante, primitiva y pobre, hablan también el quechua. En sus festividades religiosas se mezclan los ritos antiguos de los incas con los ritos cristianos que les enseñaron los misioneros. En su música se nota la tristeza de la vida tan pobre que por siglos van *arrastrando*. En sus danzas conservan el colorido y el tono misterioso de una civilización que fue la más importante de toda la América del Sur. Cuando llegan las festividades religiosas, la música y la danza acompañan a la bebida. En muchas ocasiones, la *borrachera* es la única forma que tienen de escaparse, aunque sea sólo por un rato, de la miserable vida que llevan.

EL PARAGUAY. Con una extensión aproximada a la de España, medio millón de kilómetros cuadrados, el Paraguay tiene solamente una población de unos tres millones de habitantes, de los cuales la mayoría son mestizos de españoles y guaraníes, y bilingües, pues el guaraní es la lengua oficial al igual que el castellano.

Geográficamente, forma parte de las repúblicas *ríoplatenses*, unidas por los ríos Paraguay y Paraná. Pertenecía al virreinato del Río de la Plata, pero, así como el Uruguay, se separó a la hora de la independencia y prefirió formar una nación.

La mayor parte del país está *despoblado* y la mayor parte de su población se concentra al lado este del río Paraguay, donde se encuentra la capital, Asunción, ciudad tranquila y tradicional, donde la vida *discurre* sin grandes acontecimientos.

Desde los tiempos de la colonia, el indio guaraní ha mantenido su idioma y sus costumbres que han arraigado en toda la poblcaión, manifestándose en la música, en los bailes e inclusos en la literatura. La influencia de los guaraníes no queda dentro de los límites del país, sino que puede observarse también en las provincias argentinas que *colindan* con el Paraguay.

Aunque es una de las naciones más subdesarrolladas de Hispanoamérica, con las nuevas tecnologías, se espera que puedan desarrollarse las riquezas naturales que se encuentran en este país tropical.

El aislamiento del Paraguay con relación al resto del mundo fue debido en gran parte al presidente Francia, quien a principios del siglo pasado, en medio de su *fobia* antiespañola cerró las fronteras del país a todas las influencias exteriores, cortando incluso la comunicación con Buenos Aires, el puerto donde desemboca el río Paraguay.

---

dragging along

drunkenness

ref. to Río de la Plata

deserted spot

elapses

bordering

aversion, dislike

Ejercicios

A. Complete the sentences with the appropriate word from the list at the right.

1. La cordillera andina _____ a Chile de Bolivia y la Argentina.

2. Los araucanos _____ contra los españoles sin someterse nunca.

3. Un soldado español _____ un poema épico sobre esta lucha.

4. Chile tiene muy poco mestizaje y _____ población indígena.

5. El país tiene una _____ eminentemente europea.

6. La vida diaria tiene un gran _____ a la vida española.

7. La Paz es la capital de más _____ del mundo.

8. La zona andina de Bolivia es la más _____ y ancha.

9. En el Paraguay, el guaraní es el _____ oficial igual que el castellano.

10. La _____ con el Atlántico se hace por el río Paraguay.

lucharon
idioma
comunicación
cultura
abrupta
separa
parecido
escasa
altura
escribió

B. Write the infinitive of the verb which corresponds to each word.

1. origen
2. significación
3. oposición
4. escritura
5. escasa

C. Choose the word from column B closest in meaning to each word in column A.

	A		**B**
_____	1. atravesar	a.	riña
_____	2. lucha	b.	mediar
_____	3. incomunicado	c.	amar
_____	4. intervenir	d.	límites
_____	5. origen	e.	cruzar
_____	6. querer	f.	aislado
_____	7. independencia	g.	causa
_____	8. fronteras	h.	libertad

D.   Choose the word from column B opposite in meaning to each word in column A.

A	B
_____ 1. productivo	a. alegría
_____ 2. tristeza	b. esclavo
_____ 3. heroísmo	c. civil
_____ 4. libre	d. inconstante
_____ 5. guerra	e. improductivo
_____ 6. militar	f. cobardía
_____ 7. amor	g. paz
_____ 8. constante	h. odio

E.   Answer the following questions in Spanish.

1. ¿Qué quiere decir la palabra Chile?
2. ¿Quiénes lucharon en Chile contra los españoles?
3. ¿Quién es el héroe nacional indígena de Chile?
4. ¿Qué clase de población tiene Chile?
5. ¿Cómo se llama el plato típico de Chile?
6. ¿Qué le gusta saborear al chileno?
7. ¿De dónde viene el nombre de Bolivia?
8. ¿Dónde está la gran altiplanicie de Bolivia?
9. ¿Cuál es el principal recurso económico de Bolivia?
10. ¿Cómo se llaman los indios del Paraguay?
11. ¿Dónde se encuentra Asunción, la capital del Paraguay?
12. ¿A quién se debe en gran parte el aislamiento del Paraguay?

CAPÍTULO 11

La Argentina

Con una extensión de 2.800.000 kilómetros cuadrados, Argentina es la mayor de las repúblicas hispanoamericanas. Tiene una población de unos 28 millones de habitantes. Su capital, Buenos Aires, es una de las mayores ciudades del continente americano y de apariencia totalmente europea que la distingue del resto de las capitales de Sudamérica. Está situada en el *estuario* del Río de la Plata. Este estuario, que es el mayor del mundo, fue descubierto por Díaz de Solís en 1516, cuando buscaba, *costeando*, cómo llegar al Pacífico. *Al darse cuenta* de que el agua era dulce le llamó el Mar Dulce. Pocos años después, Magallanes, *bordeando* la costa hacia el sur llegó a Tierra del Fuego, se encontró con el estrecho que ahora lleva su nombre y que *le costó* un mes cruzarlo. Al final encontró el Océano Pacífico, por el que siguió su expedición, que fue la primera que dio la *vuelta al mundo*.

La cuidad de Buenos Aires fue fundada por Mendoza en 1536 y, aunque después fue abandonada volvió a fundarla Juan de Garay. Durante la época colonial, Buenos Aires fue el centro del Virreinato del Río de la Plata, que estaba formado por lo que hoy son la Argentina, el Paraguay, Bolivia y el Uruguay. Su *lejanía* de Europa hizo que fuera la colonia más *olvidada* por la metrópoli y la menos desarrollada al llegar la hora de la independencia. Esta se inicia en 1810 y se proclama al fin en 1816.

Argentina tiene muy poco en común con la mayoría de las repúblicas hispanoamericanas. El hecho de no haberse encontrado en su territorio grandes comunidades indígenas, hace que su población actual sea

estuary

sailing along the coast
Upon realizing

bordering

it took him

around the world

distance, remoteness
forgotten

más homogénea que la de otros países sudamericanos. Es prácticamente europea.

La base de su población es española y lo mismo puede decirse de su cultura. Son pocas las familias, principalmente del norte de España de las cuales algún miembro de ellas no haya emigrado a la Argentina. Los apellidos gallegos, asturianos, vascos y castellanos son muy frecuentes entre las familias argentinas. Sin embargo, la influencia de otras naciones europeas ha sido también de mucha importancia. Los apellidos italianos, ingleses, franceses y alemanes no son raros. La influencia cultural francesa fue enorme, y después de lograrse la independencia, se intentó impener el francés como lengua oficial. Después de la emigración española, la más numerosa ha sido la italiana, que ha influido en el idioma castellano incluyendo muchas palabras que son comunes entre la poblición argentina, como « ciao » para decir adiós o « bambino » en lugar de niño.

Además de estas influencias que aseguran la base latina de su población, los ingleses pretendieron por muchos años ocupar partes de su territorio, y en algún caso lo lograron, teniendo actualmente disputas sobre algunas de las islas de la Antártica Argentina. En el terreno económico, fueron los ingleses los que construyeron el primer ferrocarril y lo explotaron por muchos años. En el sur del país, existe una importante proporción de población de origen inglés, principalmente del país de Gales, dedicado tradicionalmente a la cría de ganado *ovino* en grandes *estancias*.   sheep / farm
Normalmente mandan a sus hijos a estudiar en Buenos Aires; algunos vuelven al terminar su educación, otros se quedan en la gran metrópoli. En menor medida, los alemanes y los europeos de otros países nórdicos y del centro, también han emigrado a este país lo cual hace que sea una nación culturalmente europea. Por esta razón a Buenos Aires se le llama el París sudamericano.

Aunque es un país que tiene una industria bastante desarrollada, su principal riqueza se encuentra en las explotaciones agrícolas y ganaderas, con una gran variedad debido a su enorme extensión y a los diferentes climas. La Argentina es uno de los principales *graneros* del mundo y uno de los mayores   granary
productores de carne, siendo ésta una de sus principales exportaciones. Desde las regiones tropicales

del norte que limitan con Bolivia, el Paraguay y Brasil, las zonas de clima mediterráneo del centro y de los valles *abrigados* de la cordillera andina, que corre de norte a sur, como una formidable barrera que la separa de Chile, hasta el clima frío del sur abierto a todos los vientos y el clima polar del territorio antártico, la Argentina goza de todos los climas.

sheltered

En regiones como las provincias de Entre Ríos y Corrientes, por donde siguen su curso los ríos Paraná y Uruguay se encuentran grandes zonas de vegetación selvática, de explotaciones forestales y de desarrollo agrícola con gran variedad de productos tropicales. La población de esta región y la que limita con todo el norte de la República Argentina es muy diferente a la del centro y sur. En ella se pueden encontrar rasgos más parecidos a los de las repúblicas del norte de Sudamérica, con la presencia de comunidades indígenas, como los guaraníes, que *radican* principalmente en el Paraguay. La vida en estas regiones es muy diferente a la del centro y sur también. Más tradicional, tranquila y totalmente alejada de las influencias de la gran metrópoli Buenos Aires, que es el extremo opuesto. Lo mismo puede decirse de otras provincias como Tucumán y Mendoza, donde existen grandes viñedos y gran cantidad de cítricos y se aprecia la vida tranquila provinciana y los buenos vinos de mesa que producen.

live, reside

En el centro del país se encuentra la región más característica de la Argentina, la que le ha dado el *sello* de su personalidad, la inmensa y solitaria Pampa. Es una llanura de horizontes infinitos, como la palma de la mano, impregnada de melancólica monotonía, donde nace, se desarrolla y muere ese tipo ya legendario, « el gaucho », hombre solitario, unido siempre a su « *pingo* » y con el « *facón* » *colgado* de su *cintura,* que vive sobre el terreno, siempre con los cinco *sentidos despiertos,* porque su vida de cada día es una lucha contra la naturaleza para seguir viviendo guiado por sus instintos.

seal, stamp

a fine saddle horse / gaucho knife suspended / waist senses / awake, watchful

El gaucho es un tipo extraordinario, origen de multitud de leyendas y canciones que van de boca en boca y que lo han dado a conocer por todo el mundo; anárquico y que no quiere someterse a la civilización que lo quiere dominar desde Buenos Aires, a veces cruel, porque así le ha enseñado la vida, y siempre *confiado* en sí mismo taciturno, enigmático.

confident

El gaucho es el personaje más popular de la literatura argentina y ha sido inmortalizado en una obra literaria muy famosa, « El gaucho Martín Fierro » de José Hernandez. El gaucho, el habitante de la Pampa, y el *porteño*, el habitante de Buenos Aires, son las dos caras de la Argentina. Ellos configuran la personalidad del argentino. El primero representa a la naturaleza salvaje, libre, sin *trabas* ni normas. El porteño representa a la civilización, el refinamiento, la ley y el orden. En la Pampa, junto al *mugir* del ganado no se oye otra cosa que el lamento del gaucho y el *silbar* del viento, que *anda suelto* como él. En Buenos Aires se oyen todas las corrientes del pensamiento moderno que llegan desde Europa. Por eso existe este antagonismo entre Buenos Aires y la Pampa, entre el gaucho y el porteño.

native of Buenos Aires

bonds, ties

to moo

to whistle / goes, runs / free, loose

Esa inmensa Pampa, por la humedad de su clima y la fertilidad de su tierra encierra una gran riqueza agrícola y ganadera. Desde el principio de la colonia se llevaron a ella muchas cabezas de ganado *caballar* y *vacuno* que se empezaron a reproducir en muchos casos en estado semisalvaje, y esto es lo que dio origen al gaucho. Actualmente el ganado se cría en grandes estancias con *forraje* natural. Esto hace que el argentino se sienta orgulloso de poseer la carne de ganado vacuno de más calidad en el mundo. Debido a esto, el « *churrasco* » es el alimento favorito del argentino y lo que el visitante se ve *atraido* y casi *forzado* a comer cuando llega a Buenos Aires. Un enorme filete de carne a la *brasa*, eso es el churrasco.

belonging to horses, equine
belonging to cattle, bovine

grain, hay, or grass for horses

piece of meat broiled over coals
lured, attracted
forced
red-hot coal or wood

Buenos Aires, como hemos dicho anteriormente, es una ciudad totalmente europea, con grandes y hermosas avenidas, edificios modernos y todos los problemas de las grandes ciudades de nuestro tiempo. Sus habitantes, al verlos por las calles nos hacen pensar que estamos en Europa, en contraste con otras capitales de los países hispanoamericanos.

Al extremo nordeste del estuario del Río de la Plata y a una media hora de *vuelo* se encuentra la capital del otro país rioplatense, Montevideo, capital de la República del Uruguay. Esta pequeña nación de unos doscientos mil kilómetros cuadrados y unos tres millones de habitantes, tiene casi todas las características de la Argentina. En su historia, hasta tiempos recientes se ha distinguido por su espíritu democrático. Por muchos años su poder ejecutivo radicaba en un organismo colegiado en vez de en

flight

una sola persona. Recientemente ha sido escenario
de un gran descontento social que ha dado origen a
un grupo de guerrilleros urbanos, los tupamaros, famosos por sus golpes políticos de *audacia*. Su riqueza   boldness
principal, como en la Argentina, está basada en la
producción agrícola y ganadera.

Ejercicios

A. Complete the sentences with the appropriate word from the list at
the right.

1. Buenos Aires está _____ en el   sentidos
   estuario del Río de la Plata.   riqueza
2. La población de la Argentina es más   situada
   _____ que en otros países.   espíritu
3. La influencia _____ francesa en la   plato
   Argentina fue enorme.   constante
4. Su principal _____ es agrícola y   homogénea
   ganadera.   cultural
5. La República Argentina _____ de   característica
   todos los climas.   goza
6. La Pampa es la región más _____
   del territorio argentino.
7. El gaucho vive siempre con los cinco
   _____ despiertos.
8. La vida del gaucho es una _____
   lucha contra la naturaleza.
9. El churrasco es el _____ favorito de
   los argentinos.
10. El Uruguay se distinguió por muchos años
    por su _____ democrático.

B. Write the infinitive of the verb which corresponds to each word.

1. extensión
2. emigración
3. disputa
4. ocupación
5. proporción

C. Choose the word from column B closest in meaning to each word in
column A.

	A	B
_____	1. aproximadamente	a. demás
_____	2. resto	b. distancia

_____ 3. situada   c. usual
_____ 4. lejanía   d. continua
_____ 5. proclama   e. casi
_____ 6. frecuente   f. localizada
_____ 7. asegurar   g. anuncia
_____ 8. constante   h. confirmar

D. Choose the word from column B opposite in meaning to each word in column A.

        A   **B**

_____ 1. leal   a. húmedo
_____ 2. seco   b. histórico
_____ 3. buscar   c. inmigrar
_____ 4. legendario   d. recordada
_____ 5. homogéneo   e. desleal
_____ 6. emigrar   f. perder
_____ 7. lejanía   g. heterogéneo
_____ 8. olvidada   h. cercanía

E. Answer the following questions in Spanish.

1. ¿Qué apariencia tiene Buenos Aires?
2. ¿En dónde está situada Buenos Aires?
3. ¿Cuál fue la emigración más numerosa además de la española, en la Argentina?
4. ¿Cuáles son las principales producciones de la Argentina?
5. ¿Cómo se llama la región más característica de la Argentina?
6. ¿Quién es el tipo legendario de la Pampa?
7. ¿Cómo se llama al habitante de Buenos Aires?
8. ¿Cuáles son las principales riquezas de la Pampa?
9. ¿Qué otra capital se encuentra en el estuario del Río de la Plata?
10. ¿Qué características tiene el Uruguay?
11. ¿Cómo estaba organizado el poder ejecutivo en este país?
12. ¿Cómo se llaman los guerrilleros famosos del Uruguay?

CAPÍTULO 12

Presencia hispánica en Estados Unidos

Las *raíces* de la presencia hispánica en Estados Unidos de Norteamérica aparecen en la época del descubrimiento, de la conquista y colonización por España del Nuevo Mundo en el siglo XVI.

En este siglo, España descubre, explora, conquista y coloniza, no sólo los inmensos territorios de Hispanoamérica, sino también dos tercios de lo que hoy forma parte del territorio de los Estados Unidos. Españoles eran, o estaban a su servicio, los primeros europeos que llegaron a estas tierras, tanto en la costa del Atlántico como en la del Pacífico. Cabrillo llegando a California, o Ponce de León a Florida, o Hernando de Soto descubriendo el Misisipí, o Cabeza de Vaca andando desde Florida hasta México en una formidable *odisea*, son, entre otros, los primeros europeos que conocen lo que ahora es este país.

Los testimonios de esta primera presencia de España en América han quedado en forma permanente en los nombres de algunos de los estados y ciudades, como California, Florida, Colorado, Nevada, Montaña, Arizona y Nuevo México, o las ciudades de San Agustín, en Florida y Santa Fe en Nuevo México, que fueron fundadas por los españoles en el siglo XVI.

Alguno de los estados de la Unión Americana han pertenecido a España por más tiempo del que han formado parte de los Estados Unidos. Florida, desde 1513 que la descubre Ponce de León hasta 1819 que

roots

odyssey

la *cede* a este país. Texas, Nuevo México, Arizona, California . . . se incorporan a la Unión Americana hace menos de siglo y medio después de haber pertenecido a España a lo largo de tres siglos. Puerto Rico y Guam fueron territorios españoles hasta 1898, cuando España perdió sus últimas colonias americanas, al ser vencida por los Estados Unidos. — yields, gives away

No obstante estas razones históricas, la presencia hispánica se basa en otros motivos también, y éstos son diferentes para cada uno de los tres grandes grupos en que puede clasificarse. Los mexicano-americanos, los puertorriqueños y los cubanos tienen en común la cultura hispánica, la lengua y la lucha por mantener su identidad dentro de una sociedad eminentemente anglosajona. Se diferencian en las razones que les trajeron a este país, en la época en que llegaron al mismo y en su localización. — However

LOS MEXICANO-AMERICANOS. Es el grupo más numeroso y están localizados principalmente en los Estados de Texas, Nuevo México, Arizona, California y en la ciudad de Chicago, en Illinois. Unos prefieren llamarse « chicanos », y generalmente este nombre va unido a la idea de militantes en la lucha por sus derechos. Otros quieren ser llamados mexicano-americanos. En Nuevo México, algunos se consideran descendientes de los españoles que llegaron en el siglo XVI y en otros estados del sudoeste predominan los que quieren ser considerados como mexicanos.

En este grupo se incluyen mexicanos que han llegado recientemente al país e incluso de otras nacionalidades de hispanoamérica, y entonces toman el nombre de latinoamericanos o hispánicos, para formar un frente común en defensa de sus derechos.

Muchos de ellos se dedican a *cosechar* las frutas y hortalizas en distintas zonas agrícolas. Recientemente han logrado más fuerza debido al *liderazgo* de César Chávez que ha obtenido para ellos muchos derechos que antes se les *negaban*. Su constancia en esta lucha le hace ser admirado y *seguido por los suyos* como líder indiscutible, lo cual le ha conseguido también el *apoyo* de los líderes políticos y religiosos, federales y estatales. — to harvest, reap — supreme command — refused — followed by his people — support, backing

La importancia de este grupo en el sudoeste, y principalmente en California, es mayor de lo que a primera vista parece ser. Mantienen viva su cultura, sus costumbres y tratan de vivir concentrados en sus *barrios* y de esforzarse por mejorar su condición. Otro elemento que influye en la importancia del grupo es el *crecimiento* del mismo, por el mayor número de hijos que tienen normalmente en relación con las familias del resto de la población. Según unos estudios recientes la población hispánica en California será mayoría a fines del siglo actual.

neighborhoods

growth, increase

La discriminación de que han sido objeto por tantos años está perdiendo terreno frente a la lucha decidida y continua del grupo y cada vez es más frecuente ver sus nombres que alcanzan puestos importantes en la sociedad, tanto públicos como privados. Entre las *metas* que tienen está el lograr que el idioma español se apruebe como lengua oficial, principalmente en California y en Texas. Para esto se basan en el Tratado de Guadalupe-Hidalgo, con el que acabó la guerra entre México y Estados Unidos, y en la Constitución de California de 1849. Según dicen, los Estados Unidos no cumplieron *lo pactado*.

goals

what was agreed upon

Comentando este tema con ironía, alguien dijo que, « hasta por estética debería de ser el español el idioma oficial de California, pues empezando con el nombre del estado y siguiendo con los de las principales ciudades, ríos, valles, montañas y condados, la geografía física del estado parece un diccionario de nuestra lengua, y *como si esto fuera poco*, la población hispánica actual es cien veces más numerosa que la de entonces ».

as if it were not enough

LOS PUERTORRIQUEÑOS. Si tenemos en cuenta que Puerto Rico es un territorio que está bajo el dominio de Estados Unidos, el número de este grupo se acerca a los cinco millones. Tres millones y medio aproximadamente que viven en la Isla y un millón y medio que han emigrado a Estados Unidos. La presencia del grupo en el país tiene su origen en la *cesión* por España de la Isla a raíz de la guerra de 1898. Desde 1917 los puertorriqueños tienen nacionalidad norteamericana, y *por lo tanto* pueden venir al continente libremente, como habitantes de un Estado Libre Asociado. Por esta condición, aunque no tienen representantes en el Congreso, tienen un Comisario Residente en la Cámara de Represen-

transfer, concession

therefore

tantes. Desde 1948 *eligen* al Gobernador de la Isla y   select, choose
tienen su propio Senado y Cámara de Represen-
tantes.

Este año, 1980, por primera vez, han celebrado
elecciones primarias de candidatos a la presidencia
por los dos partidos, el republicano y el demócrata.
Entre los puertorriqueños hay tres tendencias políticas: los que quieren ser un estado más de la Unión,
los que prefieren seguir con la condición de Estado
Libre Asociado y los que tratan de formar un Estado
Independiente. Las mismas tendencias hay entre los
que viven en el territorio continental. El actual gobernador, Romero Barceló, es partidario de la anexión y quiere que *se someta* el problema a un plebis-   submit
cito después de las elecciones para gobernador en
1980.

La emigración de este grupo empieza a principios
del siglo actual, pero alcanza gran importancia alrededor de la segunda guerra mundial, cuando vienen
en busca del trabajo que no encuentran en la Isla. Su
mayor concentración está en Nueva York, donde
viven unidos y mantienen la lucha por sus derechos
y los caracteres culturales propios.

La discriminación racial de que han sido objeto
por muchos años, el ambiente y el clima de la gran
ciudad, si bien es cierto que han sido cause de
grandes sufrimientos para el grupo, han sido tam-   courage, spirit
bién *aliento* para mantenerse y superarse, y hoy día
sus condiciones han mejorado mucho.

En los últimos años ha habido una emigración in-
versa debido a la mejora de las condiciones de la Isla
en el terreno económico, pero por ahora, todavía es
más fácil para ellos encontrar trabajo aquí.

En cuanto al futuro del país, el gobierno de los
Estados Unidos mantiene la *postura* de que son ellos   attitude, stand
los que deben decidir libremente sobre este pro-
blema y, como con las demás minorías, está tratando
de acabar con la discriminación.

LOS CUBANOS. Este grupo hispánico es el último
que ha llegado al país, y las razones de su presencia
aquí son completamente distintas a las de los grupos
anteriores.

La emigración cubana llega a consecuencia de la
subida de Fidel Castro al poder en Cuba. Los cubanos prefirieron el exilio a vivir bajo una dictadura
comunista, y por este motivo dejaron a su patria. El

dolor de este grupo está en que casi todos ellos se vieron obligados a dejar allí a sus seres queridos.

La mayor concentración de esta emigración forzosa está en Florida, y más concretamente en Miami, aunque pueden verse también muchos cubanos en California. En Florida encontraron lo más parecido que podía hallarse en Estados Unidos a la Perla del Caribe: el clima, el sol, las *palmeras* y el mismo mar que baña a su isla. Con su presencia han logrado cambiar la fisonomía de esa bonita ciudad de Miami, donde han fundados ellos « La Pequeña Habana », y donde se oye hablar el español tanto como el inglés, con ese acento tan alegre del Caribe. Hay calles y barrios enteros donde casi no se habla otro idioma que el español.   palm trees

Quizás haya sido el dolor del abandono forzoso de su patria y la esperanza de poder volver un día lo que les ha animado en la lucha por sobrevivir. Lo cierto es que como grupo, en pocos años han logrado alcanzar unos objetivos difíciles incluso el de *soñar*.   to dream
Entre ellos hay muchos hombres y mujeres que después de vencer las barreras del idioma han logrado alcanzar un *bienestar* social y económico igual al de   well-being
los norteamericanos.

Otra característica de este grupo es la unidad que los sustenta en su lucha por la liberación de Cuba. El hecho de haberse vistos forzados a abandonar la isla les mantiene más *aferrados* al deseo de volver. Para   obstinate, hook together
ello mantienen periódicos, revistas, emisoras de radio y de televisión en español y en la sociedad y en la política ya se oyen nombres de sus miembros que ocupan puestos de importancia en la vida pública y en la privada. Quizás un día puedan volver a la isla. Desde allá le darán gracias a este generoso país que les permitió *alimentar* sus esperanzas. Mientras tanto   cherish, foster
viven y luchan cerca del país que les vio nacer respirando sus mismas *brisas* del Caribe.   breezes

Ejercicios

A. Complete the sentences with the appropriate word from the list at the right.

1. España pierde sus _____ colonias americanas en 1898.
2. Los mexicano-americanos forman la minoría hispánica más _____.
3. Chávez es _____ por los suyos como líder indiscutible.
4. La geografía de California _____ un diccionario español.
5. Los puerorriqueños tienen _____ americana desde 1917.
6. Puerto Rico tiene un _____ Residente en la Cámara de Representantes.
7. La mayor _____ de puertorriqueños está en Nueva York.
8. La emigración cubana llega a consecuencia de la _____ al poder de Castro.
9. En Florida encontraron lo más _____ a la isla de Cuba.
10. Los cubanos se mantienen _____ en su lucha por liberar a Cuba.

Comisario
parece
últimas
unidos
parecido
concentración
subida
numerosa
nacionalidad
admirado

B. Write the infinitive of the verb which corresponds to each word.

1. exploración
2. colonización
3. subida
4. descendiente
5. consideración

C. Choose the word from column B closest in meaning to each word in column A.

A	B
_____ 1. raíz	a. centuria
_____ 2. siglo	b. enorme
_____ 3. colonizar	c. aventura
_____ 4. inmenso	d. unir
_____ 5. dejar	e. fundamento
_____ 6. odisea	f. urbanizar
_____ 7. testimonio	g. abandonar
_____ 8. incorporar	h. testigo

D. Choose the word from column B opposite in meaning to each word
    in column A.

	A		B
_____	1. presencia	a.	rural
_____	2. urbano	b.	izquierdo
_____	3. separación	c.	negar
_____	4. derecho	d.	exterior
_____	5. defensa	e.	ausencia
_____	6. afirmar	f.	incorporación
_____	7. levantar	g.	ataque
_____	8. interior	h.	bajar

E. Answer the following questions in Spanish.

1. ¿Cuándo aparecen las raíces de la presencia hispánica en
    Estados Unidos?
2. ¿Cuál es el grupo hispánico más numeroso en este país?
3. ¿A qué se dedican muchos mexicano-americanos?
4. ¿A qué se parece la geografía física del estado de California?
5. ¿Qué nombres españoles de estados, ciudades, calles, etc.
    recuerda usted?
6. ¿Cuándo cede España a Estados Unidos la isla de Puerto Rico?
7. ¿Cómo se considera actualmente a Puerto Rico con relación a
    Estados Unidos?
8. ¿Cuáles son las tres tendencias políticas que hay en Puerto
    Rico?
9. ¿Cuándo llega la principal emigración cubana a Estados
    Unidos?
10. ¿Dónde está la mayor concentración de esta emigración?
11. ¿Qué les mantiene unidos a los cubanos en Estados Unidos?
12. ¿Quiénes deben decidir acerca del futuro de la isla de Puerto
    Rico?

VOCABULARIO

adj	adjective	*inter adv*	interrogative adverb
adv	adverb	*inter pron*	interrogative pronoun
conj	conjunction	*n*	noun
def art	definite article	*pl*	plural
exclam	exclamation	*pp*	past participle
f	feminine	*prep*	preposition
indef art	indefinite article	*pron*	pronoun
inf	infinitive	*reflex pron*	reflexive pronoun
interj	interjection	*rel pron*	relative pronoun

A

a to, at
abandonar to abandon, leave
abarcar to include, encompass
abrazar to embrace
abrigo protection
abrir to open
abrupta abrupt
abuela grandmother
abuelo grandfather
abundar to abound
abusar to abuse, take advantage
acabar to finish
acento accent
aceptar to accept
acercarse to go near
acompañar to accompany
acosar to harass
acostumbrarse to become used to
actitud attitude
actividad activity
actual current

actualmente currently
actuar to act
acumular to accumulate
además moreover
admirar to admire
admitir to admit
adonde where
adoptar to adopt
adorar to worship
adversario enemy, adversary
advertir to warn, to point out
afán eagerness
afectar to affect
aferrar to insist
afinidad affinity, similarity
afligir to afflict, plague
afuera outside
agradable pleasant, agreeable
agrícola agricultural
agua water
aguantar to endure, bear

aguerrido brave
ahí there
ahora now
aire air
aislado isolated
al contraction of **a** and **el**
alargar to lengthen
alcanzar to reach
alcohol alcohol
aldea village
alegría joy
aliento encourage
algo something
algodón cotton
alguno some
alimentación nourishment
alimento food
allá there
allí there
alma soul
alrededor around, about
alto high, tall
altura altitude, height
amar to love
amargo bitter
ambición ambition
americano American
amigo friend
analfabeto illiterate
andar to walk
andina Andean
angustia sorrow, anguish
animal animal
animar to encourage
antepasado ancestor
antes before, previously
antiguo ancient, old
anual annual
anunciar to advertise, announce
añadir to add
año year
aparecer to appear
aparte apart
apegado attached to
apenas barely, scarcely
apogeo apogee, peak
apoyo support
apreciar to appreciate
aprender to learn
apropiado appropriate, fitting

aproximadamente approximately, about
apto apt
aquel that
aquí here
arado plow
araucano Araucanian
árbol tree
área area
arena sand
argamasa mortar
argentino Argentinean
arma weapon, arm
armonía harmony
arquitectura architecture
arte art
artículo article, manufactured goods
artista artist
arraigado to become deeply rooted
arredra move away
arribar to arrive
asegurar to secure
asentada located
así so, thus
asimilar to assimilate
asombrado astonished
aspecto aspect
atacar to attack
atado tied
atlántico Atlantic
atractivo attractive
atrás behind, back
atravesar to cross, put or lay across
atribuir to attribute
aumentar to increase
aumento increase
aún still, even
aunque though
autobús bus
automóvil car
author author
autoridad authority
avance advance
avanzar to advance
aventura adventure
aventurero adventurous
avión airplane
ayuda help
ayudar to assist
azar chance, accident

azteca Aztec
azúcar sugar
azul blue

B

baile dance
bailar to dance
bajar to lower, drop; to go down
bajo under
balance balance
banana banana
banco bank; bench
bañar to bathe
baño bath; bathtub
barba beard
barco boat
barril barrel, cask
barrio district
base base
básico basic
bastante enough
batalla battle
beber to drink
bebida drink
belleza beauty
bicicleta bicycle
bien well
bienvenido welcome
blanco white
boliviano Bolivian
borde border, edge
bosque forest
brazo arm
brotar to gush, flow
bruto brute, stupid; rough, gross
bueno good, kind
buscar to look for; to seek out

C

caballo horse
cacique chief
cada every, each
caer to fall
café coffee

calcular to calculate
caliente hot
calor heat
caluroso warm
calle street
cambiar to change
caminar to walk
camino road
campesino farmer
campo countryside
canal channel
canción song
cantar to sing
cantidad quantity
caña cane
cañón cannon
capaz capable
capital capital
capitán captain
capítulo chapter
capturar capture, seizure
cara face
característica characteristic
carbón coal
carne meat
casa house
casarse to marry
casi almost
caso case; event
castellano from Castile
Castilla region of Spain (Castile)
castillo castle
catedral cathedral
católico catholic
cauce river bed
caudillo leader
causa cause
causar to cause
cazar to hunt
ceder to cede
celebrar to celebrate
central central
centro center
centuria century
cerámica ceramic
cercano near, close
cercar to fence; to surround
cereal cereal
ceremonia ceremony
cielo heaven; sky

cien hundred
cierto certain
cinco five
circular to circulate
círculo circle
ciudad city
civilización civilization
civilizado civilized
claro clear; of course
clase class
clave key
clima climate
cobarde coward
cobija blanket
cobre copper
coca coca, cocaine
cocina kitchen
colaborar to collaborate
colina hill
colorado reddish, red
colonial colonial
colonia colony
color color
combatir fight
combinación combination
comentar to comment
comentario commentary
comenzar to begin, start
comercial commercial
comercio commerce
comida food
comitiva retinue
como as, like
compañero companion
comparar to compare
completo complete
comprar to buy
comprender to understand
compromiso commitment
compuesto composed
común common
comunicación communication
comunidad community
comunista communist
con with
concentrar to concentrate
conciencia conscience
concordar to agree
condición condition
confianza trust

conflicto conflict
conforme in agreement
confundir to confuse
conjunto group
conmigo with me
conocer to know; to meet
conquista conquest
conquistador conqueror
conquistar to conquer
consecuencia consequence
conseguir to get, obtain
consejo counsel, advice
conservar to keep
considerar to consider
constante constant
constitución constitution
construir to build
contacto contact
contar to tell; to count
contemplar to contemplate
contemporáneo contemporary
contener to contain
contestar to answer
continente continent
continuar to continue
contra against
contrario contrary, opposite
contrastar to contrast
control control
convencer to convince
conversación conversation
convertir to convert
cooperativa cooperative
corazón heart
cordillera mountain range
correctamente correctly
correr to run
corriente current
corrompido corrupt
cosa thing
cosecha harvest
costa coast
costumbre custom
crear to create
crecer to grow, to increase
creer to believe; to think
criar to raise
cristiano Christian
criticar to criticize
cruel cruel

cruzar to cross
cual which; who
cualidad quality
cualquiera anyone
cuando when
cuanto as much as
cuatro four
cubierto covered
cubrir to cover
cuero hide, leather
cuerpo body
cuestión question
cuidar to take care
cultivar to cultivate
cultura culture
curioso curious

CH

charlar to chat
chileno Chilean
churrasco grilled steak

D

dar to give
de of; from
debajo under
deber to owe
débil weak
debilidad weakness
decidir to decide
decir to say
declarar to declare
decorar to decorate
dedicarse to devote oneself
defender to defend
dejar to abandon; to leave
del contraction (**de** and **el**)
delgado thin, slender
demás the rest
democracia democracy
demostrar to demonstrate
depender to depend
derecho right
derribar to demolish

derrotar to defeat
desaparecer to disappear
desarrollar to develop
desastre disaster
descansar to rest
descendiente descendant
descubrimiento discovery
descubrir to discover
desde since, from
desear to want, to desire
desembarcar to disembark
deseo desire
desgracia disgrace
desierto desert
desigualdad inequality
desolada desolate
desorganizar to disorganize
despreciar to look down on
después later, after
destrucción destruction
destruido destroyed
destruir to destroy
detrás behind
día day
diario daily
dictador dictator
difícil difficult
dificultad difficulty
dignidad dignity
dinero money
dios god
directo direct
dirigido directed
discordante discordant
discusión discussion
disminuir to diminish
dispuesto disposed, ready
distancia distance
distinguir to distinguish
distinto distinct
distrito district
disuadir to dissuade
diversidad diversity
divertido amusing
dividir divide
doce twelve
doméstico domestic
dominación domination
dominar to dominate
domingo Sunday

donar to donate
donde where
dormir to sleep
dos two
duda doubt
dueño owner
durante during
duro hard

E

economía economy
echar to throw
edificar to build
edificio building
educación education
ejecutar to perform; to execute
ejemplo example
ejercer to exert
ejército army
el the
él he
electricidad electricity
elegido elected
elegir to elect
elemento element
elevado high
eliminar to eliminate
ella she
ello it
ellos they, them
embajador ambassador
emoción emotion
emperador emperor
empezar to begin
empleado employee
emplear to employ
empleo employment
empresa company
en in, into, on
encerrar to lock up, to enclose
encomendar entrust
encontrar to find
enemigo enemy
enero January
enfermo sick
enfrentarse to meet face to face

enorme enormous
enriquecer to enrich
enseñar to teach, to show
entender to understand
entero whole
entonces then
entrar enter
entre between, among
entregar to deliver
época epoch, age
escapar to escape
esclavo slave
esconder to hide
escribir to write
escritor writer
escuchar to listen
escuela school
esa that
ese that
espacio space
espada sword
espalda back
especial special
esperanza hope
esperar to wait
espíritu spirit
esposa wife
estabilidad stability
establecer to establish
estadística statistic
estaño tin
estar to be
este east; this
estilo style
estrecho narrow; strait
estrella star
estudiante student
estudiar to study
etapa stage
examen examination
excelente excellent
exclusivamente exclusively
exigir to demand
exilado exiled
existir to exist
éxito success
expansión expansion
experto expert
explicar to explain

explorar to explore
explotación exploitation
exportar to export
extender to spread
extranjero foreign; stranger
extraordinario extraordinary
extremo extreme

fuerte strong
fuerza force, power
fundamento foundation
fundar to found
futuro future

G

ganadero cattleman
ganado cattle
ganar to win; to earn
general general
generalmente generally
gente people
gigante giant
gloria glory
glorioso glorious
gobernador governor
gobierno government
gozar to enjoy
gracias thanks
grado step; grade; degree
gran large; great
granja farm
grano grain
gris grey
gritar to shout
grupo group
guerra war
guerrillero guerrilla fighter
guiar to guide
guitarra guitar
gustar to like; to be pleasing
gusto taste, flavor

F

fábrica factory
fachada facade
fácil easy
falsedad falsity
falso false
falta lack
fama fame
familia family
famoso famous
fantástico fantastic
favorable favorable
fe faith
febrero February
federación federation
ferrocarril railroad
fértil fertile
fibra fiber
fiel faithful
fiesta feast
fin end
finalmente finally
fino fine
firme firm
florecer to flourish, blossom
fomentar to promote
fondo bottom
forma form
formar to form
fortaleza fortress
fortuna fortune
frecuencia frequency
frecuente frequent
frío cold
frontera frontier
fruta fruit
fuego fire
fuera outside

H

haber to have
habitante inhabitant
hablar to speak
hacendado landowner
hacer to do; to make
hacia toward
hacienda farm
hallar to find; to discover

hambre hunger
harina flour
hasta until, even
hay there is, there are
hecho fact
helado frozen; ice cream
herencia heritage
hermana sister
hermano brother
héroe hero
heroico heroic
hierro iron
hija daughter
hijo son
historia history
histórico historical
hogar home
hoja leaf
hombre man
hombro shoulder
homenaje homaje
hora hour
horno oven
horror horror
hoy today
hueso bone
huir to flee
humanidad humanity
humano human
humilde humble

I

ideal ideal
idea idea
ideología ideology
idioma language
iglesia church
igual equal
igualdad equality
ilegal illegal
ilusión ilusion
imaginar to imagine
imperfecto imperfect
imperio empire
imponer to impose
importar to import
importancia importance

importante important
imposible impossible
imposición imposition
impresionante impressive
inaugurar to inaugurate
incorporar to incorporate
increíble incredible
independencia independence
indicar to indicate
indígena indigenous
indio Indian
indispuesto indisposed
individuo individual
industria industry
industrial industrial
inestabilidad instability
inestable unstable
inferior inferior
infiel unfaithful
influencia influence
informar to inform
iniciar to initiate
injusticia injustice
inmediatamente immediately
inmenso immense
inmigrante immigrant
inspirar to inspire
instalación installation
instrumento instrument
intacto intact
integrado integrated
inteligente intelligent
intensidad intensity
intentar to attempt, to try
intercambio exchange
interés interest
interesante interesting
interior interior
interno internal
internacional international
intervenir to intervene; to take part
interrumpir to interrupt
íntimamente intimately
introducir to introduce
invadir to invade
investigar to investigate
invierno winter
invitar to invite
ir to go
isla island

J

jamás   never
jefe   chief
jinete   horseman
joven   young
joya   jewel
judío   Jewish
juego   game
jugar   to play
julio   July
junto   together
jurar   to swear
justo   just, fair
justicia   justice
juventud   youth
juzgado   court
juzgar   to judge

L

la   the
lado   side
lago   lake
lana   wool
lanzar   to hurl
lapso   lapse
largo   long
lavar   to wash
le   to him; to her; to it
lealtad   loyalty
leche   milk
leer   to read
lejos   far
lema   theme
lengua   language; tongue
lento   slow
les   to them
levantamiento   uprising
ley   law
leyenda   legend
libertad   liberty, freedom
libre   free
libro   book
líder   leader
ligero   light
limitar   to limit
límite   limit

listo   ready
literario   literary
literatura   literature
litoral   littoral
lo   him; it
local   local
localizar   to localize
lograr   to get
lucha   fight
luchar   to fight
lugar   place
lunes   Monday
luz   light

LL

llama   flame; llama
llamar   to call
llano   plain
llanura   plain
llegar   to arrive
lleno   full, filled
llevar   to carry; to take
llover   to rain
lluvia   rain

M

madera   wood
madre   mother
maestro   teacher
magnífico   magnificent
maíz   corn
malo   bad
mancha   spot
mandar   to order
manera   manner
mano   hand
manta   blanket
mantener   to support
manufacturado   manufactured
mañana   morning; tomorrow
máquina   machine
mar   sea
maravilla   marvel
maravilloso   wonderful

marcar to stamp
marchar to march
más more
masa mass
matanza massacre
matar to kill
matemáticas mathematics
materia matter, material
matrimonio marriage
mayor great; bigger
mayoría majority
medicina medicine
medicinal medicinal
médico physician
medio half; middle
mediodía noon
mejor better
mencionar to mention
menor younger; smaller
menos less; minus
mensaje message
mentira lie
mercado market
mes month
mestizo person of mixed blood
meta goal
metal metal
mezcla mixture
miedo fear
miembro member
mientras while
mil thousand
militar military
millón million
mina mine
mineral mineral
ministro minister
mío mine
mirar to look at
miseria misery
mismo same
mitad half
moderno modern
modo manner
molestar to bother
momento moment
monopolio monopoly
montaña mountain
montañoso mountainous
monumento monument

moreno brown; dark; brunette; black
morir to die
moro Moor
mortalidad mortality
mosca fly
mosquito mosquito
mostrar to show
motivo reason, motive
movimiento movement
mucho much, a lot
mueble furniture
muerte death
mujer woman; wife
mundo world
mural mural
muralista muralist
muralla wall
música music
muy very

N

nacer to be born
nación nation
nacional national
nacionalizar to nationalize
nada nothing
narrar to tell, to narrate
natalidad birthrate
nativo native
natural natural
naturaleza nature
necesario necessary
necesidad necessity, need
necesitar to need
negar to deny
negocio business
negro black
neto net
ni neither
ninguno none, not one
nivel standard; level
no no; not
noche night
nombrar to name
nombre name
norte north
nosotros we, us

nota note
notar to observe
noticia news
novela novel
novelista novelist
noviembre November
nuestro our, ours
nueve nine
nuevo new
número number
numeroso numerous
nunca never

O

obligación obligation
obligar to oblige
obra work
obrero worker
observar to observe
obsesionar to obsess
obstáculo obstacle
obtener to obtain
ocasión occasion
ochenta eighty
octubre October
ocupar occupy
ocurrir occur
odiar to hate
odio hatred
odisea odyssey, adventure
oeste west
oficial official, officer
ofrecer to offer
ofrendar to make an offering of
ojo eye
ola wave
olivo olive tree
olvidar to forget
oportunidad opportunity
opresión oppression
orden order
ordenar to order
organización organization
organizar to organize
orgulloso proud
originario native
orilla shore
oro gold

oscuridad darkness
otoño autumn, fall
otro another, other

P

pacífico peaceful, pacific
pacto pact
padre father
pagar to pay
país country
palabra word
palacio palace
panorama panorama
papa potato
papel paper
para to; for; toward; in order to
parar to stop
parecer seem
pared wall
parte part
participar to take part, participate
particular private
partido party
partir to divide; to depart
pasado past
pasar to go over; to pass
pasión passion
patria fatherland
patriota patriot
paz peace
peculiar peculiar
pecho chest
pelear to fight
peligro danger
pelo hair
pena pain
penetrar to penetrate
pensar to think
peor worse
pequeño small, little
perder to lose
perdido lost
período period
permanente permanent
permitir to permit
pero but; yet
perseguir to persecute
persona person

pertenecer to belong
pesado heavy
pescado fish
peso peso
petróleo oil
pie foot
piedra stone
pintar to paint
pintor painter
pintura paint
pirámide pyramid
plan plan
plantación plantation
plata silver
plaza square
pleno full, complete
población population
poblado town
pobre poor
pobreza poverty
poco little; few
poder power
poema poem
poesía poetry
poeta poet
poetisa poetess
política politics
poner to put, to place
popular popular
por by
porcentaje percentage
porción portion
porque because
poseer to own
posesión possession
posibilidad possibility
posible possible
posición place
postre dessert
práctica practice
precio price
predominar to predominate
preferir to prefer
pregunta question
premio prize
preocupación preoccupation
preparar to prepare
presente present
presidencia presidency
presidente president

prestar to lend
prestigio prestige
primer first
primero first
principal principal, main
príncipe prince
principio beginning
prisionero prisoner
privado private
probable probable
problema problem
procedencia origin
proclamar to proclaim
producir to produce
producto product
profesión profession
prohibir to prohibit
promulgar to promulgate
pronto soon, quickly
propio own
protección protection
proteger to protect
provincia province
próximo next
publicar to publish
público public
pueblo town
puente bridge
puerto port
punto point
puro pure

Q

que what; that; which; who; whom
quedar to stay
quejar to complain
querer to love; to want; to wish
quien who; whom
quieto quiet
quince fifteen
quitar to remove
quizás maybe, perhaps

R

racial racial
racional rational

radio radio
raíz root
rápido rapid, quick
raro rare
rascacielos skyscraper
rato while
raza race
razón reason
reacción reaction
realidad reality
realizar to carry out
rebelión rebellion
recibir to receive
recién recently
reciente recent
reclamar to demand
reconocer to recognize
reconquista reconquest
reconstrucción rebuilding
recordar to remember
recto straight
recuperar to retake
recurso recourse
reflejar to reflect
reforma reform
regalar to give
región region
regir to rule, to govern
regresar to return
reinar to reign
relativamente relatively
religión religion
remedio remedy
remoto remote
renacimiento rebirth
rendir to conquer
representante representative
república republic
reserva reservation
residencia residence
resistencia resistance
resistir to resist
respirar to breathe
responder to answer
respuesta answer
restaurante restaurant
resultado result
retener to retain
reunión meeting
reunir to assemble

revolución revolution
revolucionario revolutionary
rey king
rico rich
rifle rifle
rincón corner
riña fight
río river
riqueza wealth
risa laughter
ritmo rhythm
rival rival
robar to rob
rodeado surrounded
rubio blonde
ruina ruin
rumor rumor
rural rural
rústico rustic
ruta route

S

sábado Saturday
saber to know
sabor flavor
sacar to draw out
sacrificio sacrifice
sagrado sacred
sala hall
salida exit
salir to go out, to leave
salud health
saludar to greet
salvar to save
sangriento bloody
satisfacer to satisfy
se to him; to her; to them; to you
sección section
sector sector
sed thirst
sede seat
seguir to follow
según according to
segundo second
seguro sure
seis six
selva jungle
semana week

sembrar to sow
semejanza similarity
semilla seed
sencillo simple
sentar to seat
sentido sense
sentimiento feeling
sentir to feel; to regret
señal signal
señor Mister
señora lady; Mrs.
señorita Miss
separar to separate
septiembre September
ser to be
servicio service
servir to serve
si if, whether
sí yes
siempre always
sierra mountain range
siervo servant
siete seven
siglo century
significar to mean
siguiente next, following
silencio silence
similar similar
sin without
sin embargo nevertheless
singular unique
sino but
sistema system
sitio place
situación situation
sobre on; upon; above
sobrevivir to survive
social social
sociedad society
socio partner
sol sun
soldado soldier
sólido solid, firm
solitario solitary
solo alone
solución solution
someter to submit
soñar to dream
sorprender to surprise

sorpresa surprise
sostener to maintain
su his; hers; its; theirs
suave smooth
subdesarrollado underdeveloped
subir to go up
suceso event
suegro father-in-law
sueldo salary
suelo ground
sueño dream
suerte luck
suficiente sufficient
sufrimiento suffering
suicidarse to commit suicide
sujetar to subject
sumamente extremely
superar to surpass
superficie surface, area
superior superior
supervisar to supervise
supuesto assumed
suplicio torture
sur south
surgir to arise
suspender to suspend

T

tabla board
táctica tactic
tal such
talento talent
también too, also
tan as
tanto so much
tarde afternoon; late
teatro theatre
técnica technique
tejer to weave
teléfono telephone
televisión television
temer fear
templado warm
templo temple
tener to have
tensión tension

tercero   third
terminar   to finish
terrible   terrible
territorio   territory
tiempo   time
tienda   store
tierra   earth; ground
típico   tipical
tipo   type
tirar   to throw
título   title
tocar   to touch; to play
todavía   still, yet
todo   all, everything
tolerar   to tolerate
tomar   to take
tortura   torture
total   total
totalmente   entirely
trabajador   worker
trabajar   to work
trabajo   work
tradición   tradition
traer   to bring
transformar   to transform
tras   after; behind
trasladar   to move
tratar   to treat
trece   thirteen
treinta   thirty
tremendo   tremendous
tres   three
trescientos   three hundred
tribu   tribe
trigo   wheat
triste   sad
tropas   troops
tropical   tropical
tú   you
tu   your
túnel   tunnel
turista   tourist

U

último   last
un   a, an
único   only

unificar   unify
unión   union
unir   to unite
universidad   university
urbano   urban
usar   to use
uso   use
usted   you
usual   usual, customary
útil   useful
utilizar   to utilize, to use
uva   grape

V

valentía   valor, courage
valor   valor, bravery
valle   valley
variedad   variety
vecino   neighbor
vehículo   vehicle
veinte   twenty
vencido   conquered
vendedor   vendor, seller
vender   to sell
venir   to come
venta   sale
ventaja   advantage
ver   to see
verano   summer
verdad   truth
verdadero   true
verde   green
verduras   green vegetables
vergüenza   shame
verso   verse
vestido   clothing
vez   time; turn
viajar   to travel
viaje   trip, travel
viceversa   viceversa
victoria   victory
vida   life
viejo   old
viento   wind
vigor   vigor
vino   wine
violencia   violence

virrey viceroy
visión vision
visitar to visit
vista sight
visto evident
vivir to live
voluntario voluntary
volver to return
voto vote
voz voice
vuelta turn

Y

ya already
yacimiento layer

Z

zócalo downtown
zona zone